나는 서초동에서 집빵을 굽는
빠띠시에입니다

나는 서초동에서 집빵을 굽는
빠띠시에입니다

발행	2024년 7월 22일
저자	권문환
펴낸이	한건희
펴낸곳	주식회사 부크크
출판사등록	2014.07.15.(제2014-16호)
주소	서울특별시 금천구 가산디지털1로 119 SK트윈타워 A동 305호
전화	1670-8316
이메일	info@bookk.co.kr

ISBN 979-11-410-9616-8

www.bookk.co.kr

나는 서초동에서 집빵을 굽는
빠띠시에입니다

권문환 지음

들어가며

사람의 인생에는 숙명이라는 게 있다. 인생의 어느 때고 반드시 해야 할 일, 죽기 전에 끝내야 할 사명이라고 하는 숙명이 내게는 '빵'이었다.

어떤 이에게는 단순히 한 끼의 식사대용 일 뿐만이 아니고 빵이 내게는 가난을 이기고 결혼을 하고, 인생을 바꾸게 해준 소중한 인연이다. 빵이 없었다면 현재의 여유와 풍요를 누릴 수 없었을 테고, 대학을 다니고 석사, 박사를 취득할 수 없었을 것이며 책을 쓰는 활동까지 해볼 엄두를 내지 못했을 것이다.

5명이나 계모가 바뀌는 등 누구보다 힘든 유년 시절을 보냈지만 나는 단 한 순간에도 내 운명을 한탄하지 않았다. 오히려 어떻게 하면 인생을 후회없이 보낼 수 있는지, 다른 사람과 세상에 도움이 되는 존재로 살아갈지를 늘 고민해왔다.

서초동 12평 매장에서 시작하여 32년이 넘도록 나를 지탱해온 프랑세즈 과자점이 그러한 신념의 결과이다. 어느 대단한 자산가가 보기에 내 작은 성공은 보잘 것 없어 보이겠지만, 나는 프랑세즈 과자점을 통해 나와 내 가족들의 삶을 구하였고 더 나아가 후회 없이 인생을 즐기며 살 수 있게 되었다.

이제 와 새삼스럽지만 내게 그러한 삶의 기회를 열어준 이 제과점이 한없이 고맙다. 평생 빵만 굽고 살던 내가 책을 쓰게 될 줄은 꿈에도 몰랐다. 하지만 지난 시절을 돌아보니 결코 순탄치 않았던 인생도 꿈을 포기하지 않으면 언젠가는 결실을 얻을 수 있다는 것과 아무리 힘들어도 용기와 희망을 갖고 살아야 한다는 점을 다른 이에게 꼭 알려야 한다는 생각이 들었다.

　책이 나오기까지 나를 응원해준 가족들과 처가 식구들, 그리고 두 자녀에게 고맙다는 말을 전하고 싶다. 가끔 고향이 생각나면 내려가는 단양군, 영춘면 의풍리에 살고 계시는 정옥순 누이. 사회에서 만났지만 진실하고 정직한 마음으로 나에게 아낌없는 격려와 응원을 보내주신 분이시다. 나의 마음 한 구석에서 자리 잡고 있는 친누이 같은 그분에게 감사의 인사를 드리고 싶다. 아내의 소개로 결혼 전 부터 지금까지 알고 지내고 있는 (최재규 정손희)부부와 (유 홍목 박경숙)부부의 한결같은 마음으로 이웃사촌 보다 더 가깝게 지내온지 오랜 세월 동안 나에게는 큰 힘이 되었고 만학의 길을 걸을 때도 항상 용기와 성원해주시고 응원에 감사의 말씀 올립니다.

　또 책이 나오기까지 원고를 편집하며 애를 써준 출

들어가며

판사 관계자들에게도 감사의 인사를 전한다. 마지막으로 프랑세즈 과자점을 32년 동안 한결 같은 마음으로 사랑해주신 고객들에게 이 책을 바치고 싶다.

어쩌면 이 책은 내가 그동안 우리 과자점을 사랑해주신 고객들에게 전하는 답가인지도 모르겠다.

2024년 6월 서초동에서

저자 올림

목차

제2장

매일 250도씨에서 구워지는 빵처럼

제1장

인생은 오르막길 다음 내리막길

부족한 기술은 선배에게 배우고, 제과 제빵에 관한 책을 통해서
이론적인 것을 더 배우면서 깨닫게 된 게 많이 있습니다.
나의 인생은 내가 어떤 목표를 가지고 살아가느냐가 중요하다는 것,
제과업계에서 성공하려면 수많은 사람 중에
1%에 들어야 성공할 것이라는 게 바로 그 생각이었죠.
앞으로 다가올 미래를 생각하면서 일본어 공부를 시작하게 되었고
영어도 조금씩 공부를 시작했습니다.

민들레 홀씨처럼

강원도 영월의 유년시절

민들레 홀씨를 아십니까?

그저 바람 부는 대로 날다가 어느 땅에 홀연히 떨어져 뿌리내린 곳에서 꽃을 피우는, 그 외롭고 서글픈 꽃과 같은 존재가 바로 내 어린 시절이었습니다.

친모가 없이 아버지 슬하에서 자란 사람은 그 과정이 얼마나 힘든지, 어린 아이의 성장 과정에서 이것이 얼마나 큰 영향을 주는지 알 겁니다. 신은 어떤 이유에서 나를 편부 슬하에서 자라나게 한 것일까요. 돌이켜

보면 그 시절 어린 나이였던 아버지에게 버려지지 않고 자라난 것만 해도 기적 같은 일이죠.

아버지는 여러 명의 계모를 들였고 나는 그들을 차마 어머니라 부를 수 없었습니다. 나를 낳아준 친모가 원망스러웠지만 한편으로 그리운 건 본능이었습니다. 내가 초등학교에 입학했을 무렵 먼 사촌의 큰어머니의 입을 통해서 그저 친모가 살아 있다는 사실만 알았으니까요.

계모 슬하에서 자라나는 초등학생 남자아이는 가련한 존재입니다. 눈칫밥을 먹고 크는 아이는 의붓어머니를 통해서 매일 이런저런 이유로 상처를 입게 되었어요. 내 기억에 어린 시절은 충북 단양이 집이었지만 계모가 바뀔 때마다 아버지는 거주지를 옮겨 다니셨습니다.

지금도 기억나는 건강원도 영월군 상동면 이목리라는 곳에서 살던 시절의 경험이었습니다. 내가 아이를 길러보니 아버지의 마음을 알겠더군요. 나를 따뜻한 밥 한끼 라도 해 먹이려고 여러 명의 어머니를 모셔오신 것 같아 지금 돌아보면 그 당시 나를 위해서 아버지가 그렇게 하셨다는 생각에 마음 한 편이 칼로 후빈 듯 아파 옵니다. 홀아비 소리를 들어가면서 나를 데리고 이곳저곳으로 다니셨던 건 나를 버리지 않겠다는 아버지의 굳은 의지 셨던 것 같습니다.

아버지의 머슴살이

나는 이후 영월 사북, 태백 등을 옮겨 돌아다니면서 살았고, 단양군 근처 면소재지로 옮겨 다니면서 산 기억이 납니다. 그때마다 내 키는 한 뼘씩 자라곤 했어요. 내 나이가 다섯 살이 될 무렵 아버지는 단양군 매포면 가평리 배골이라는 마을에 부잣집에서 머슴살이를 시작하셨습니다.

문간방에서 머슴살이 할 때도 나는 엄마가 그리웠고 부모가 있는 동네 친구들이 부러웠습니다. 아버지가 머슴살이하는 동네에서 어느 날 계모를 모시고 왔는데 계모와 며칠 살지 않았는데도 불안했어요. 아버지가 없는 날이면 어린 나이인데도 '친엄마는 이렇게 때리지는 않을 거야'하는 생각이 들 정도였죠. 두들겨 맞은 기억밖에는 나질 않는 것 같아요. 하루라도 꾸중을 듣지 않으면 다행이었죠. 하루하루를 보내는 게 고통이었습니다. 그때 사촌 누나인 권순옥이 와서 잠깐 살았는데 나에게 구구단을 가르쳐준 것도 기억납니다.

나는 어릴 때부터 노래하는 걸 좋아 했나 봐요 학교에서 공부를 못해 공동화장실 청소를 하고 교실 마루바닥을 닦으면서 콧노래로 유행가를 부르다가 옆 교실 선생님께 들켰죠. 혼내지 않을 테니 불러 보라 해서 유행가중 무너진 사랑탑을 불렀더니 음악에 재능이 있다고 하시더군요. 그렇게 2학년 때 음악 선생님으로부터 노래를 배우기 시작했습니다.

초등학교 5학년 때부터는 본격적으로 가사를 책임

지며 지냈습니다. 반찬이 없는 건 일상이고 1년 이상 밥을 스스로 해먹는 생활을 했죠. 아버지는 돈 벌러 나가서 오지 않고 혼자 밤이면 희미한 호롱불 옆에서 외로움을 달래며 아버지 오기만을 마냥 기다렸어요. 지게를 지고 나무를 해 와서 땔감으로 사용할 때 였으니까요 몇 날 몇 일 을 혼자 밥해먹으면서 지낸 세월도 꽤 많이 됩니다.

'친엄마는 언제 만날 수 있을까. 왜 나를 떼 놓고 갔을까. 친엄마는 어떻게 생겼을까...'

그런 생각을 하다가 잠들곤 했죠. 그렇게 친어머니의 그리움에 사무쳤어요. 대체 어떤 사연으로 나를 버리고 갔을까 하는 궁금증을 많이 가지고 있었습니다. 계모가 들어오면 내가 불편하고 또 눈치를 봐야 하기에 저녁이면 집에 들어오는 게 싫어서 친구인 수철이네 집에서 자고 친구네 엄마가 밥 주면 그걸 얻어먹곤 했었습니다. 또는 동네 형들 집에서 자고 들어오곤 했었죠. 사춘기에 접어 들 면서 내가 느낀 것은 나는 아버지 같은 삶은 살지 말아야 겠다는 다짐을 스스로도 많이 했었지요

계모가 나가고 일 년 정도 지난 어느 날 또 다른 계모 한 분이 오시더니 아버지께서 나 더러 인사하라고 하셨습니다. 제 기억으로는 새어머니가 오셨을 때 나는 5학년 때였어요. 한 방에서 세 명이 누우면 어깨가 부딪칠 정도였죠.

살림살이라고는 이불이며 화로 등 생활하는 데 필요한 잡동사니가 전부였죠. 살림살이와 같이 비좁은 방 한 칸에서 생활하니 불편한 점이 한 두 가지가 아니었어요. 어릴 때 14년 동안 계모가 5명 정도가 바뀐 걸로 기억이 나는데 1~ 2년에 한 명 정도가 바뀐 것 같습니다. 그래서였는지 어릴 때인데도 사춘기가 일찍 온

것 같습니다. 그 당시 기성회비도 제대로 낸 적이 없었어요. 6학년을 졸업하고 중학교 들어가야 하는데 돈이 없어서 엄두를 못 냈습니다.

그때 마침 군부대 내에서 중학교 과정을 무료로 가르친다는 곳을 알고 접수해서 상진고등공민학교 입학을 해서 3년 과정을 2년 만에 졸업했을 했죠. 다니는 동안에도 점심의 도시락을 한 번도 싸 갈 수 없는 형편이었어요. 학교 과정은 3년 과정이었지만 2년 만에 졸업을 했으니 어려운 여건 속에서도 참 열심히 학교에 다녔습니다. 공부도 나름 데로 열심히 했다고 생각합니다.

어릴 때 저의 꿈은 외교관이었어요. 아마도 그래서 영어를 퍽 잘했는지도 모르죠. 내 기억으로 초등학교 5학년이 될 때까지 계모가 5명 정도 바뀌었던 것 같습니다. 내 사춘기는 또래들보다 일찍 찾아왔습니다. 누가

봐도 엇 나가지 않는 게 이상한 상황, 어린 마음에 나는 어떻게든 빨리 독립해서 내 살 길을 찾아야 한다고 믿었어요. 중학교를 나오고 빨리 취업을 하고 싶었어요. 그렇게 집을 나와서 지인의 소개로 처음 서울로 상경해서 취직을 한 곳이 오래 전 강남구 역삼동 산 75-5호에 위치했던 유명 빵집인 '뉴욕 제과'였습니다.

빵과의 인연

제빵 기술을 배우다

지금은 번화한 강남역에서 자취를 감추었지만 그 옛날 뉴욕 제과는 강남역의 상징적 존재였어요. 택시를 타고 "강남 뉴욕제과 갑시다"라고 하면 모르는 기사가 없을 정도였으니까요. 거기서 나는 수습생처럼 먹고 자면서 제빵 일을 배웠습니다. 나는 지금도 내 친정을 뉴욕제과였다고 말하고 다닐 정도로 그곳은 내가 사회인으로 뿌리를 내린 곳이죠. 1975년도의 일입니다.

중학교 과정을 마치고 일한 뉴욕제과에서 처음 받

은 월급은 3000원. 2년 정도 지나니까 18,000원까지 받았었고 1원 한 장 쓰지 않고 모았습니다. 지금은 번화한 강남역 주변이지만 옛날에는 국기원과 롯데칠성, 제일생명 빌딩만 있었고 말죽거리는 당나귀에 마차를 끌고 다니는 곳이기도 했죠. 내가 집빵을 경영하고 있는 위치가 바로 예전에 경복여상학교 자리였습니다.

나는 제빵 기술이 참 재미있고 과정이 신기했어요 17살 어린 나이에도 빵 냄새가 좋았고 기술을 배우는 것이 설레었습니다. 나를 힘들게 한 것은 매일 20시간씩 일을 하면서 잠을 제대로 자지 못했다는 거예요. 깨어있을 때는 제빵 일에만 몰입하고, 나머지 시간에는 잠에 골아 떨어지기 바쁜 나날들이었지요.

하지만 뉴욕제과에서 잠을 충분히 자지 못하고 일만 하니까 이 직업 말고 다른 직업 없을까, 퇴사하고 나의 직업을 찾을까, 하고 잠시 동안 직업을 바꿔보려고 했습니다. 세탁일, 웨이터, 가내 수공업 등을 하며 잠시 허송세월을 보내기도 했지요. 이런 저런 직업을 찾아 보려고 조금씩 경험을 해보았는데 먹여주고 재워 주는 곳은 제과점밖에는 없더군요.

그렇게 빵을 다시 배워야 겠다 는 결심을 하고 서울 중구 초동에 있는 명보제과에 박 찬회 선배를 찾아 갔죠. 뉴욕제과에서 명보제과로 자리를 옮겨 근무하고 있다는 소식을 알고 전화를 걸어 취직자리를 부탁했더니 명보제과에 취직을 시켜주었어요. 저는 근무하면서 시간 나는 대로 운동도 하고, 노래 연습도 하고, 칵테일 학원을 다니면서 계획을 세우면 실천한다는 마음으로 영어, 일어를 배웠습니다. 지금 생각해봐도 참 열심히 살면서 근무했죠.

그 덕분에 빵과 과자를 만들 수 있는 경험을 오랫동안 하고 기술을 연마하면서 완전한 나의 직업으로 만들 수 있었습니다.

내가 노래를 하게 된 계기

여기서 잠깐! 제가 노래를 하게 된 동기를 말씀드리고 싶네요. 저는 어릴 때부터 노래에 소질이 있어 혼자서도 많이 흥얼거리기도 하곤 했어요. 노래를 본격적으로 하게 된 동기가 있습니다. 당시 명보극장과 명보제과가 영화배우 신영균 회장님 건물을 소유하셨거든요.

크리스마스 케이크를 팔 때 되면 나에게 매년 해마다 정장을 입고 와서 케이크를 판매를 하라고 말씀을 하시던 분이셨죠. 어느 날은 저를 사무실로 불러서 가보니 봉투에 특별 보너스를 주시면서 "문환이 너 영화배우 한번 해보지 않을래" 하셨어요. 그래서 제가 이렇게 대답했습니다.

"회장님 저는 외모가 그리 출중하지 않아 영화배우

는 자신 없고 노래는 자신 있습니다."

　마침 근무 기간이 3년 5개월 정도 되다보니까 직장도 안정되고 취미 생활도 할 수 있는 시간도 되었어요. 지금 돌이켜 보면 젊음이 있었기에 무슨 일으든 적극적으로 임했던 것 같고 스스로 결정을 내리면 끝을 보는 도전적인 면이 나의 장점이 있었던 것 같습니다.

　그러던 어느 날 신문광고란에 신인가수 모집이란 보고 가슴이 설레더군요. 특전으로 1~3등 안에 들면 작곡가의 레슨비도 없고 밤무대에 출연할 수 있는 자격이 부여된다는 겁니다. 저는 곧바로 접수해서 종로 3가 국일관 카바레에서 오디션을 보았어요. 그 당시 심사위원장 오 기택, 방 주연, 박건 선생님이셨는데, 참가자 70명 중 운 좋게 내가 2등으로 수상해서 김*홍 작곡가에게 레슨 받았어요.

처음 무대에 오른 것이 영등포 금성호텔지하에 있는 라이브 무대였습니다. 인가가수가 출연을 하고 가면 땜 빵 아니면 가수가 갑자기 출연을 못할 때 곧바로 투입되는 무명의 설움을 겪었죠.

노래를 하고 회사로 돌아가면 내일을 위해 야간근무를 해야 했기에 잠은 늘 부족한 상태였습니다. 그땐 주로 나훈아 씨의 노래가 대세여서 해변의 여인, 흰구름 가는 길, 헤어져도 사랑만은 등 라이브에서도 이런 노래들을 부르곤 했죠

노래의 경험이 좀 쌓이고 노래의 직업으로 선택할까, 하는 생각으로 고민하고 있을 때였습니다. 그 당시 돌아와요 부산항에가 히트를 하고 남포동 부르스가 나오던 시절, 나훈아 씨를 비롯해 부산에서 유명한 가수들이 배출된 것 같아 나도 부산에 가보자고 결심이 섰어요. 가서 낮에는 제과 제빵일을 하고 밤에는 카바레

무대에서 노래를 시작해야겠다는 결심이 들더군요.

그렇게 명보제과에서 퇴사를 하고 부산으로 내려 갔습니다. 아무 연고 없이 내려가서 낮에는 남포동에 있는 부산뉴욕제과에서 일했어요. 노래할 곳을 찾다보니 부산진역 앞에 나영수 작곡 사무실이 있다고 하더군요. 그곳에 무작정 찾아 들어가 "노래를 하고 싶습니다"하고 한 곡 불렀더니 하시는 말씀이 "문환이 너는 생활이 어렵더라도 나하고 노래해야 한데이"라고 말씀하셨어요 그러면서 저를 카바레에서 노래할 수 있게 자리를 만들어 주셨습니다. 그때 저는 노래와 제과 제빵 이라는 직업을 놓고 갈림길에 있었던 것 같아요.

그리고 비로소 깨달았죠. 노래는 돈이 있어야 된다는 걸요. 무대의상, 편곡 등 쥐꼬리만큼 받는 개런티를 가지고는 해결이 될 수 없고 레코드 판을 내는데도 끝도 없이 돈이 들어가는 것이라는 걸요. 그래서 제과 제

빵은 먹고 자는 최소한은 하는 해결될 수 있으니 직업
의 선택을 할 기로에 서 있게 되더군요.

하지만 늘 부족한 돈 문제 때문에 고민 끝에 단호하
게 결단을 했죠. 제과제빵을 하기로 말입니다.

27년 만에 친모를 만나다

부산역 앞 하숙집이 여관에서 살 때였죠. 노래는 하지 않고 당분간 쉬고 있었는데 어느 날 하숙집 아주머니가 총각! 총각! 하고 부르면서 전화 받아보라는 겁니다. 전화를 받아서 "여보세요? 여보세요?" 하니까 "네가 문환이냐" 하면서 자신을 친엄마로 소개하더군요.

저는 친엄마와 통화를 하면서 범일동 로타리에 있는 지하다방에서 만나자고 약속했습니다. 친엄마를 만나기 전 10미터 앞에서 나를 보곤 "문환아 네가 문환이구나 하는 거였어요."

사람의 운명은 참 희안하지요. 부산에서 우연히 생모를 만날 거라고는 꿈에도 생각을 못했으니까요. 통화를 하고 난 후에 만감이 교차하더군요.

버림받았다는 괘씸함과 지금 아버지와 함께 살고 계신 어머니에 대한 미안함이 교차했어요. 어떤 이야기를 해야 될지를 모르겠더군요. 27년 만에 만난 생모의 얼굴을 처음으로 대면하는 것이었죠. 생모의 옆자리에는 외모가 좋으신 분이 있었어요. 짐작으로 봐서 남편인 것 같았지요. 내가 처음으로 물어보고 싶었던 것은 이것이었습니다.

"나는 몇 년도에 태어났고, 왜 나를 버리고 갔어야 했나요?"

생모는 나에게 "너는 1957년도 6월 19일날 태어났다"고 하였고 정유년생 닭띠 라고 했습니다. 그리고

"왜 나를 버리셨냐"는 질문에는 "너의 아버지가 두들겨 패서 도망 나왔다"고 하면서 울먹거렸지요. 그리고 새로운 사실을 이야기 해주셨어요. 내 위로 누나가 연년생으로 있었다는데 그 누나는 역병으로 죽었다는 이야기를 듣게 된 거죠. 그동안 내가 큰어머니(안문해)를 통해서 들었던 이야기와는 전혀 달랐습니다. 동네의 "젊은 남자와 눈이 맞아서" 새벽에 도망쳤다고 듣고 자랐거든요.

어떻게 나를 찾았냐고 물어보았더니 "널 찾으려고 거주지를 옮겨 다녀서 시간이 많이 걸리게 되었다"고 하고 "군복무를 마치면 예비군 훈련을 받아야 하기 때문에 거주지로 퇴거를 해야 하기 때문"이라고 답을 했지요. 친모는 얼굴의 인상은 살짝 곰보였는데 인상이 그리 나쁘지 않은 얼굴형이더군요. 나에게 직업이 뭐냐고 물어봐서 "나는 빵 만드는 기술을 가지고 있다고 하니까 이제는 너를 잘 살 수 있게 도와준다고 하더군요. 자기네는 무슨 일이 생겨서 포항으로 잠시 내려와 살고 있다고 했습니다.

친모 슬하에 아이가 2명 있다고 들었고 미아리 시장에서 장사해서 돈도 많이 벌어서 성남에 집도 한 채 가지고 있고 사는 데는 어려움이 없다고 하면서 이런저런 이야기를 하고 헤어졌어요. 그런데 어느날 전화가 왔어요. 친모의 말이 "계돈을 붙고 있는데 다음 달이면 타니까 돈 20만원을 빌려주면 좋겠다"는 이야기였습니다.

그러면서 돈을 가지고 포항으로 오라는 것이었어요. 나도 친모가 어떻게 살고 있는가 궁금하기도 하고 현재 돈을 빌려줄만한 여유돈도 없어서 해서 고민은 되었지만 돈을 마련해 가지고 포항 월포리 라는 사는 곳을 찾아갔습니다. 가지고 간 돈 20만 원을 건네고 다음 달에 꼭 주겠다고 하면서 "앞으로는 너 제과점 하나 차려줄 것"이라면서 나에게 선심을 쓰는 것처럼 보였죠.

나는 하룻밤을 같이 보내고 부산으로 돌아왔습니다 나도 당장 하숙집 월세 낼 돈이 없고 밥 사먹을 돈어 없어서 보리밥 한 끼로 하루를 끼니를 때우면서 사는 상황이었어요. 고향에 계시는 어머니와 아버지는 이런 사실조차도 모르고 계실 때였으니까요. 연락도 잘 못 하고 성공하면 돌아갈 거라고만 막연히 이야기하고 있던 때였죠.

나를 길러주신 맨 마지막 어머니께 이런 이야기는 한 적이 있어요.

"어머니가 나의 호적에 올라 있는 마지막 어머니이 니까 이 세상에 안 계시더라도 어머니를 잊지 않고 제 사는 꼭 올리겠습니다." 그렇게 약속을 한 적이 있지 요. 지금까지 내가 말한 약속은 지키고 있어요.

형편이 너무 어려워 있을 때 빌려준 친모는 돈을 갚아 주지 않고 아무런 연락도 없었습니다. 그렇게 나의 형편은 점점 어려워지고 있었어요. 부산에서는 도저히 살 수 없을 것 같아서 서울로 올라와서 제과점에서 취직을 하려고 했습니다.

내 인생의 정신적 지주

당시 안양에 계신 큰엄마(안문해) 신세도 많이 지고 사촌누나(권순옥) 매형(김기득)과 같이 생활할 때였으니 어찌 보면 그 분들이 나의 정신적 지주였던 셈이지요. 결혼할 정년기가 넘어갈수록 "너는 어떻게 하려고 안정된 직장도 없이 그렇게 떠돌이 생활만 하느냐"고 걱정을 많이 해 주셨지요 서울로 올라와서도 취직도 그렇게 잘 되지 않았었고 직장을 구 할 수 있는 여건들이 맞지 않아서 여러 번 직장을 옮겨야만 했을 때에도 가방 하나 둘러메고 큰엄마한테 신세를 질 수 밖에 없었어요.

그럴 때마다 군소리 하지 않고 나를 위로해 준 누나와 매형은 나의 인생길에서 빼 놓을 수 없는 은인입니다.

나의 아버지는 서로 연락을 주고받을 연결고리가 없어서 혼자 여기저기로 옮겨 다니면서 이산가족이 되었어요. 아버지는 글씨를 쓰지도 못하고, 읽을 줄도 모르고 사셨으니까요. 아버지의 삶이 얼마나 답답하고 또 외로웠을 지 생각하니 목이 메어 옵니다. 아버지는 나를 버리지 않고 어떻게든 밥을 해줄 수 있는 사람을 선택하느라 여러 명의 계모를 두셨던 거죠. 이제야 나를 그 모든 것이 나를 위해서였다는 걸 알았습니다. 어떤 일이 있어도 절대 아들을 버리지 않겠다는 아버지의 의리를 아마 나 역시도 물려받은 듯합니다.

인생은 오르막길 다음 내리막길

일생일대의 승부를 걸다

영혼을 담은 승부

나는 그동안 제과 제빵 기술자로서의 인정을 받기 위해서는 같은 동종 업계에 있는 사람들과의 경쟁에서 이기려면 피나는 노력이 있어야 된다고 생각해왔지요. 이젠 빵으로 일생일대의 승부를 걸고 싶었습니다. 그게 나의 신념이었어요.

직장을 여러 곳으로 옮겨 다니면서 나의 생각이 잘못되었는지, 아니면 오너의 생각이 다른 건지를 비교했던 적이 많았습니다. 오너의 생각이 단순히 장사의 수단으로만 생각하고 사업을 하는 오너가 많았고 경영

의 목표를 가지고 경영하는 오너는 많지 않았던 것 같
아요. 그런 것을 깨닫고 좀 더 배우는 자세를 갖게 되었
죠.

목표가 있는 인생

내가 이직을 많이 하려고 직장을 많이 옮긴 것은 아
니라 장사가 잘되고 일 많이 하는 집을 선택해서 "장사
가 잘되는 이유"를 알고 싶어 했었고 또 일이 많아서
기술자들이 자주 바뀌는 집의 문제가 무엇인지 알기
위해서였어요.

"왜" 기술자가 자주 이직을 하는 가"에 대한 의문이
많아 그런 집을 나의 직장으로 선택을 했었습니다. 기
술이 좋은 선배한테 가서 인성도 배우고 책을 통해서
이론을 배우는 데 있어서만큼은 기술에 대한 투자를
게을리 하지 않았다고 자부하고 싶어요.

인생은 오르막길 다음 내리막길

이 업계에서 성공하려면 2~3%에 들어야 성공할 것이라는 게 나의 생각이었습니다. 일본어와 영어도 준비해야만 미래가 있겠다는 판단으로 외국어를 공부를 하게 되었어요.

그렇게 어느 제과점에서 근무하게 되었는데 일도 많고 직원들도 여러 명 있었는데 장사도 잘되고 근무 여건도 괜찮았어요. 문제는 오너가 일본에 견학을 갔다 와서 직원들에게 하는 말이 지나쳤다는 거죠.

일본 다녀 온 자랑만 늘어놓고 일본에 대한 기술수준의 차이가 많이 난다고만 하고 우리의 기술을 무시하는데 기분이 상하더군요. 적어도 경영을 하는 사람이라면 기술적인 정보를 가지고 와서 직원들에게 이것을 연구하고 검토해 보라고 해야 되는데 말이죠.

무턱대고 "이런 것도 못 하냐"는 질책은 도저히 인

정할 수 없어서 나의 생각이 바뀌게 되더군요.

'이젠 내가 일본에 직접 가서 눈으로 보고, 한 가지라도 제품을 배워서 돌아 와야 겠다.'

그런 생각이 들었죠. 일본으로 연수를 가면 레시피라도 가지고 와서 제품에 대한 연구를 해야 한다는 생각에 나는 일본 가서 빵을 배우고 오겠노라고 결단을 내리게 됩니다.

1990년 5월 무작정 일본행 비행기에 오른 이유

　일본말도 전혀 하지 못하는 내가 무작정 일본행 비행기를 탄 거예요. 그 용기도 제 자신에게 칭찬할 만한 것 같아요. 용기를 낼 수 있었던 동기라면 일본 동경제과학교에 찾아갈 수 있다면 한국유학생들이 있을 거라 믿고 또한 그 당시 일본으로 연수를 간 선배들이 있었기 때문이었죠.

　한국에서 조금씩은 독학으로 일본어를 배웠지만 제대로 학원 등에서 배운 일본어가 아니라 독학으로 단어 정도 알고 갔으니 얼마나 긴장하고 찾아 갔는지 몰

라요.

　속담에 '至誠(지성)'이면 '感天(감천)'이라고 했지요. 비행기를 옆자리에 같이 앉은 사람이 일본 동경제과학교에 대해 잘 알고 있는 사람이었죠. 신길만 씨와의 인연이 그렇게 시작되었습니다. 그분의 도움으로 큰 어려움 없이 일본에서 찾으려 했던 나기학 씨를 만나게 되면서 그의 도움으로 일본에서 빵을 공부를 하게 되었으니까요.

　당시 서정웅 선배는 일본 JIB 학교에서 유학을 하고 있었을 때입니다. 나기학 씨를 만나 일본에 대한 여러 정보를 많이 듣고 빵과 과자에 대해 자세한 정보를 얻었어요. 일본에 어렵게 시간 내서 왔으니 빵 일을 한번 하고 갈 수 있도록 알아봐 주더군요. 일본에 있는 빵집 '로 아몬드'라는 곳에서 일을 하게 되었습니다. 일본의 비자가 30일 비자라 나에게는 시간이 많지 않았어요.

시간이 날 때마다 일본에 유명한 빵집과 과자 전문점을 돌아다니면서 보고, 듣고 일본의 문화에 대해서 알 수 있게 되었죠.

그러던 어느 날 일찍 근무를 마치고 숙소로 들어와 낮잠을 자면서 꿈을 꾸었는데 아버지가 아래위로 검정 소복을 입고 나타나셔서 아무런 말도 없이 무표정한 모습으로 내 앞을 지나가시는 겁니다.

깜짝 놀라 깨어보니 꿈이었어요. 옆에 있던 나기학 씨한테 "꿈에 아버지가 소복을 입고 나타난 꿈을 꾸었다"고 말하니까 "외국에서 긴장하고 있어서 그럴 수 있다"고 하면서 나를 안정시켰습니다.

후에 알게 된 사실은 바로 그 꿈을 꾼 날 나를 맨 마지막까지 길러주셨던 어머님이 돌아가신 날이었어요. 한국에 와서 날짜를 되짚어 보니까 그날이더군요. 돌아 가신 어머님 임종도 보지도 못하고 아버지가 친척들에게는 알리지도 않고 혼자서 장례를 치루시고 홀연 어디론가 떠나 버렸어요. 한국에 돌아와 아버지가 어디 계신 지를 알고 싶은데도 알 길이 없었죠. 일본에서 돌아오니까 처갓집에서 결혼 날짜를 잡아서 청첩장을 만들어 놓은 상태이고 나의 아버지와 어머니가 그렇게 되었다는 사실도 몰랐을 때였으니까요. 참으로 東奔西走(동분서주) 하는 나날들이었습니다. 아버지께 아들 결혼 한다고 알려야겠는데 알릴 수 있는 연락처가 없었으니까요 결혼식 날 아버지가 안 오시면 예식을 진행하자고 처갓집에 통보를 한 상태 였어요.

인생은 오르막길 다음 내리막길

내 결혼식 40분 전에
나타나신 내 아버지

아버지는 아들이 결혼한다고 어떻게 아셨는지 결혼식 날 40분 전에 나타 나셔서 무사히 결혼식을 마치게 되었어요. 결혼식 끝나고 잠깐 아버지와 대화를 할 수 있는 시간이 있었는데 내가 아버지를 찾으려고 얼마나 많은 걱정을 했다는 말을 하니까 하시는 말씀은

"내 걱정은 조금도 하지 말아라. 너를 가르치지 못한 내가 너를 볼 면목도 없으니 너에게 조금도 피해를 주지 않을 것이다."

그 말씀에 결혼식장에서 아버지를 부둥켜안고 목놓아 울은 적이 있어요 사실은 내가 객지 생활하면서 돈을 모아서 단양 시골에 있는 땅을 1000평 사드린 적이 있거든요. 아버지가 네가 사준 땅을 팔아서 쓰겠다는 말씀을 하시기에 "예, 그 땅은 아버지 땅이니까, 아버지가 하고 싶은 대로 하시면 됩니다" 하고는 결혼식장에서 헤어졌지요. 그리고 몇 해가 지났 지만 아버지의 연락처를 알 수가 없었어요.

아내와 결혼하다

구남매인 처가에 이끌린 이유

일본에서 빵을 배우는 동안 지금의 아내와 교제를 시작했습니다. 아내는 내가 빵을 배우고 한국으로 돌아오면 친정에 나를 소개시켜주겠다고 했지요. 아내랑 결혼할 때의 일화도 생각납니다.

당시 제 나이가 어느덧 33살인데, 결혼을 생각만 하고 있을 뿐이지 내가 처한 여건이 좋은 편이 아니라 생각만 하고 있었어요. 그런데 참한 딸이 있는데 선 한 번 보라는 제안이 왔죠.

나중에 알고 보니 그 여성은 나와 같은 성을 가진 분이여서 만나지 못했고 그분의 친척 되는 나의 장모 (김영옥)의 딸을 지인의 중매로 1989년도 11월 중순쯤에 광화문 어느 지하 다방에서 만난 사람이 지금의 아내 (박유순) 였습니다.

솔직한 장모님과의 인터뷰

처음에 만나서 인사하고 차 한잔 하는데 인상이 좋고 나쁘진 않았어요. 장모님께서는 저에게 차분히 물어 보시더군요. 가족은 어떻게 되고 어떤 직업을 가지고 있냐고. 나는 거짓 없이 솔직하고 정직하게 말씀드리고 설사 결혼이 성사되지 않아도 후회 없이 애기를 하는 게 맞다고 생각했습니다.

"가족은 아버지 어머니가 계시고 저 혼자 자랐습니다."

차분하게 이야기 했는데, 실은 처갓집의 형제가 9남매라서 순간 마음에 끌린 것도 사실이었습니다. 형제 많은 처갓집에 장가를 가고 싶었어요. 나는 좋다! 그리고 저는 마지막 저의 어필을 했죠.

"사실 제가 형제가 없어서 외롭게 자랐고 고생고생하면서 잘았기 때문에 장모님께서 결혼을 승낙 하시면 처갓집 형제가 많은 곳에 장가가서 잘할 자신이 있습니다."

지금은 벌어 놓은 돈도 없고 아무것도 가진 게 없지만 앞으로의 내 직업은 많은 발전을 할 것이고, 장사를 하면 돈을 벌 수 있는 기술을 가지고 있기 때문에 직업에 대한 비전이 있다고 설득시켜드렸죠.

딸을 주신다면 몇 년은 고생될 수 있지만 돈 많이 벌어서 고생 안 시킬 자신이 있다고 好言壯談(호언장담)

을 했습니다. 그 당시 나의 결혼의 조건은 저도 잘 알고 있었죠. 아무것도 없는 사람에게 어느 누구가 딸을 주지 않을 거라는 걸 알았기 때문에 솔직하게 없는 걸 부풀려서 이야기 하고 싶은 생각은 조금도 없었습니다. 가진 게 아무것도 없다는 그대로를 말씀드리고 기다려 보자는 것으로 반응을 기다리는 중에도 집사람과 만나고 있었는데, 아내와 교재중에 있을 무렵 마침내 처갓집 인사하러 대전에 사는 셋째 처남(박권호, 진순용) 댁네가 초대를 받아 아내의 친정식구들과의 만남 이였지요 당시 그는 대전시 중리동 유원아파트에 살며 가장 잘사는 집이었는데 식구들이 모여서 식사를 같이 하기로 해서 내려간 거죠.

그 자리에 형제 9남매가 다 모였습니다. 처갓집식구가 많은 게 기분이 너무 좋았어요. 내가 살아 온 것과는 너무도 다르고 조그만 별일 아닌 것 같은데도 즐거워하며 화목한 모습을 보면서 내 삶과는 반대의 삶이라

인생은 오르막길 다음 내리막길

고 생각했죠.

그 분위기에 적응도 못하고 아파트를 나와서 주변만 빙빙 돌면서 담배만 피웠던 생각이 나네요. 서울로 돌아오는 길에 나에 대한 반응이 어떠한가를 집사람에게 물어보니까 다들 괜찮다는 평인 것 같았습니다. 속마음으로는 '반대하면 어떡하지' 했는데 다행이었죠. 안도의 한숨과 내가 원했던 처갓집 식구가 많은 곳으로 장가 갈수 있겠다는 생각에 기분이 좋아졌습니다. 장모님께서 나를 선경지명으로 잘 보신 거였죠.

나중에 들은 말로는 선볼 때 보니까 말에 대한 책임감이 있어 보였고, 그놈의 눈을 보니 거짓이 아닌 진실로 말하는 것을 높이 평가 하셨다고 합니다. 사실은 지금의 집사람은 나를 별로 좋아하지 않았던 것 같았어요. 하지만 장모님께서 솔직히 이야기한 게 그 진심이 전해졌던 거죠. 장모님께서 나를 선택해 주신 것과 마찬가지입니다.

　한 가지 이야기할 수 없었던 것은 나의 가정생활에
서 5명의 어머니가 바뀌었다고는 차마 장모님께 말씀
을 드릴 수 없었어요. 우선 결혼을 하려면 취직도 해야
되겠고 마음은 급해지기 시작했습니다.

프랑세즈 과자점을 창업하다

내 가게를 갖고 싶다는 소망

나이가 서른이 넘어 결혼을 하고 가장이 되다보니 이제 독립할 때가 되었다는 생각은 항상 하고 있을 뿐 돈이 한푼도 없는 상태로 희망사항 이 였지요 내 이름으로 된 가게를 번듯하게 하나 갖고 싶었습니다. 1992년에 서초동에 있는 12평 규모의 상가를 빌려서 시작을 했죠. 그것이 프랑세즈 베이커리의 시작입니다. 창업 이후에 줄곧 한 자리에서만 30년 넘에 영업을 했으니 이제는 서초동이 제 삶의 터전 같다는 생각도 듭니다.

그렇다고 처음 가게를 할 때부터 제가 여유가 있었던 건 아닙니다. 그 당시 어린아들 한 명을 두고 장사에 매달렸던 우리 부부를 위해 장모님이 오셔서 살림을 해주셨어요. 장모님은 형제도, 부모도 없고 가진 재산 하나 없는 저를 받아주고 결혼까지 허락해주신 고마운 분이셨죠. 아마도 내가 부모였다면 그런 남자와의 결혼을 허락하지 않았을 텐데도 장모님은 저라는 사람 하나만 믿고 딸의 결혼을 승낙하셨습니다. 제 인생의 복이 있다면 아마 장모 복이 아니었나싶어요.

나는 외롭게 자라서인지 형제가 많은 집에 장가를 가고 싶었고 아내는 그런 조건에 부합되는 여자였습니다. 9남매가 있는 집에 장가를 가기로 결정한 것이죠. 그렇게 아무 것도 가진 것 없는 남자를 사위로 받아주신 데다가 이제는 장사를 하겠다고 딸과 온갖 고생을 하는 사위를 위해 두 아이를 돌봐주고 살림까지 도와주신 분이니 저는 장모님을 평생의 은인으로 여기고 살아야 된다는 그때 제 마음속으로 다짐했던 것이 있어요.

'무슨 일이 있어도 나는 성공한다. 성공해서 장모님과 처가에 빚을 갚으리라.'

불타오르는 열정

제가 개업했을 때는 저를 무시했던 사람도 많습니다. 저는 속으로 '그래, 두고 봐라 너 정도 매출 못 올리면 문 닫는다' 그랬죠. 그때 그 사람은 200만원 매출 올리고 있을 때였으니까 제가 감히 넘볼 수 없는 위치였습니다. 하지만 마음 속에 불타오르는 열정과 심장이 요동칠 때였어요, 장모님께서도 아이를 봐주시겠다면서 처갓집 형제들의 반대를 하였는데도 우리를 도우러 올라오신 상태였고 극동아파트 18평 방 두개 거실을 월세로 임대해서 방 하나는 직원들 사용하고 방 하나는 우리가 사용하는데 장모님은 거실에서 주무시면서 아이를 봐주시고 밥도 해주시고 반찬도 때에 맞추어 해주시곤 하셨습니다.

그런 일들을 무려 3년을 하셨죠. 그렇게 희생하신 장모님께서 어느 날 추운데 주무시고 생활을 하시다가 입이 돌아가는 구안아사가 왔어요. 더 이상 계시면 안 되겠다는 가족의 결정에 금산 본가로 내려가셨죠. 부모의 모정은 정말 바다보다 깊고 하늘보다 높다는 것을 깨달았습니다. 세상에 부모는 다 자식 잘되기를 행동으로 보여주신 분이 장모님이시죠.

1992년 9월 20일 오픈 하는날, 나가는 대로 생산할 것과 소멸되면 곧바로 할 것을 구분해서 빵을 굽고 판매를 하는데 12평 가게에 문 열면 곧바로 진열대가 있고 빵이 있었습니다. 좁았죠. 그런데도 고객들이 예상외로 많이 오셔서 퇴근 시간대 6시 되어서는 더 이상 팔 빵이 없는 '솔드아웃(sold out)' 상태가 되었습니다.

인생은 오르막길 다음 내리막길

첫날 매출을 정산해보니 300만 원 정도 매출이 되었어요. 하루하루 지나면서 빵이 맛있고 고객들의 평이 높았습니다.

저는 가운을 입고 거리로 나가서 "빵 맛있어요" 하는 이야기를 많이 듣고 다녔습니다. 가운을 입고 지하철이나 버스를 타고 나의 직업에 자부심을 느끼고 다닐 때가 더 많았어요. 내가 예상하는 매출를 달성할수 있다는 희망과 노력하면 된다는 용기가 생긴 날이기도 합니다.

지금 생각해봐도 제가 판단을 잘한 것 같아요. 만약 판단을 잘못해서 돈에 맞춰서 장사를 하면 가진 돈에 맞추어 변두리에서나 지방에서 장사를 했다면 성공할 수 없었을 것입니다. 나는 강남에서 기술자로서 근무를 하고 또한 강남에 있는 고객의 입맛을 알았어요.

'내가 왜 강남에서 장사해야지 변두리로 가야 되는가' 고민을 많이 했지만 무조건 강남에서 장사를 해야 내가 가지고 있는 기술과는 잘맞는다고 판단하고 결정한 것이 결과적으로 옳은 선택이었던 거죠.

제2장

매일 250도씨에서 구워찌는 빵처럼

제 삶의 이야기를 들은 분들이라면,
"저 사람은 어떻게 살아낼 수 있었을까"하고 의아해할 겁니다.
보통 사람이라면 제 처지에서 아마 성공은커녕 현재의 삶을
포기하고 싶었을 수도 있어요. 저 역시 그동안의 삶이 고통스럽고 힘든
순간들이 숱하게 많았지만 결국 그 모든 순간은 지나가게 마련입니다.
저 같은 사람도 이렇게 잘 살고 있으니
저처럼 힘든 경험을 한 사람들 모두 다 잘 살아낼 수 있다고 생각합니다.
삶이란 완전한 절망도, 완전한 희망도 없습니다.
그저 자기가 스스로 선택한 운명을 받아들이는 것이죠.

나 같은 사람도
행복할 수 있을까

아마도 여기까지 제 삶의 이야기를 들은 분들이라면, "저 사람은 어떻게 살아낼 수 있었을까"하고 의아해할 겁니다. 보통 사람이라면 제 처지에서 아마 성공은커녕 현재의 삶을 포기하고 싶었을 수도 있어요. 저 역시 그동안의 삶이 고통스럽고 힘든 순간들이 숱하게 많았지만 결국 그 모든 순간은 지나가게 마련입니다. 저 같은 사람도 이렇게 잘 살고 있으니 저처럼 힘든 경험을 한 사람들 모두 다 잘 살아낼 수 있다고 생각합니다. 삶이란 완전한 절망도, 완전한 희망도 없습니다. 그저 자기가 스스로 선택한 운명을 받아들이는 것이죠.

매일 250도씨에서 구워지는 빵처럼

37살에 창업에 도전

아버지와의 연락이 끊긴 상태에서도 나는 빵집을 시작했습니다. 창업을 하기 전에 마지막으로 근무했던 곳이 강동구 명일동에 위치하고 있었는데 당시 오너는 일본 동경 제과학교를 졸업하고 일본에서 직장생활을 하면서 경험을 많이 쌓은 분이고 국내에서도 장래가 촉망되는 분으로 많은 제과인들에게 신망이 두터운 분이였어요.

내가 거기서 공장장을 할 때의 일입니다. 월급을 조금씩 올려 주려고 하기에 월급을 꺼내서 되돌려 주면서 "나를 사업해서 성공할 수 있게 도와 달라"고 말했어요. "월급에 신경 쓰지 말고 사장이 일본에서 배워온 기술을 배우고 싶다"고 얘기하고 "내가 사장님의 프랑세즈의 간판을 달고 경영을 하고 싶고, 장사를 하러 나가는 날까지 충실히 임무를 다할 것이며 절대로 사장님의 기대에 못 미치는 그런 사람은 안될 것이다"라는 말도 했죠.

지금 가게가 간판을 달고 탄생하게 된 동기입니다. 그렇게 해서 명일동에서 시장조사를 조금씩 반경을 넓혀 가면서 지금의 위치에서 1992년 9월에 오픈을 하게 되었어요. 당시에는 총면적이 12평 남짓에 빵을 만들 수 있는 제조 시설과 매장이 좁아서 고객이 앉을 자리는 엄두도 못 내었고 밖에서 문 열면 곧바로 빵이 였으니 까요.

보증금 5000만원에 월120이니까 엄청 부담되었지

만 투자금액이 이정도면 여러 곳이 있었지만 나는 강남에서 기술자를 오래했기 때문에 변두리로 가서는 내가 만든 빵과는 고객과는 맞지 않을 수도 있다 판단을 했죠.

'이 자리는 부담은 되지만 일본에서 배운 빵과 과자들이 고객의 수준에 내가 맞출 수 있겠다'

그런 판단을 한 것이었어요. 사업의 자금은 처갓집의 처남(박인호형님)이 4000만원 그리고 나머지는 제빵제과 (주) 한영 한상영사장이 기계를 선뜻 벌어서 갚으라고 빌려주었고 친구들이 십시일반 격으로 도와 줘서 오픈하는데 도움을 받았습니다. 당시 나는 직장생활 할 때 전 재산이라고는 1500만원이 전부였으니까요. 오픈을 준비하면서 부채가 총 1억 1500만 원이 부채였지요, 그런데 기술로는 자신이 있었어요. 장사를 하면 망하지 않겠다는 신념이 있었죠.

지금 생각해보면 돈 한 푼 없는 놈이 보증금과 월세가 비싼 곳에서 빵집을 한다고 하니 감히 엄두가 나질 않아야 하는데 나는 자신이 있었어요. 오픈하기 전날에 나는 아내에게 만약 열심히 하는데 장사가 안 돼서 망하면 아들 데리고 처갓집에 내려가서 살라고 했죠. 나는 기술이 없어서 망한것으로 판단하고 다시 일본에 가서 빵을 배워서 오겠다고 다짐을 하기도 했습니다. 나의 기술을 믿어 달라고 한 거죠.

그렇게 철저한 오픈준비로 오픈을 하고 난후 총매출은 예상 밖에 결과가 나왔습니다. 오픈 하는 날 300만원 가까이 매출이 나왔어요. 그 다음 날 부터는 평균 매출이 100만원이 넘어갔습니다. 나는 일일매출이 50만원 만 되면 정상운영을 되겠다고 판단했는데 처음부터 손익분기점을 넘으면서 그야말로 '일취월장'하게 되었고 나날이 발전하고 있었습니다. 그렇게 빵 장사를 2년쯤 하고 있었는데 어느 날 저녁 9시 넘는 시간에

매일 250도씨에서 구워지는 빵처럼

안양에서 사는 사촌 누나한테서 전화가 왔는데 아버지가 살고 있는 옆집 동네 아저씨한테 전화가 왔다고 하더군요.

아버지가 위독하니 빨리 내려오라고 한다는 거였습니다. 아버지가 계신 곳은 충북 단양이 아닌 충남 서산군 대산면 어느 시골이었어요.

저는 장사를 마감하고 사촌매형 (김기득) 사촌누나 (권순옥) 그리고 큰엄마 (안문해)와 함께 가기로했죠. 우리는 서울 차를 가진 친구인 김직현 한테 연락해서 도움을 받기로 하고 이번이 어쩌면 마지막이 될 수 있는 아들을 아버지께 손자를 보여줘야 하겠다고 어린 아들을 데리고 갔어요. 친구들과 함께 물어찾아가는 시간이 꼬불꼬불한 길을 달려 5시간이상 걸린 것 같았습니다. 찾아가 보니 아버지는 혼자서 다 쓰러져가는 오두막집에서 약냄새가 진동을 하는 방안을 계셨어요.

아버지는 나를 보고 "왜 이제 왔어" 하는 데 울컥했었습니다. 지체할 시간도 없었죠. 매형차로 병원을 어디로 갈지도 결정 한지 못한 상태인데 누나와 매형이 결정을 내려서 안양 중앙병원으로 이송하게 되었어요. 그리고는 의사가 진료하려면 아버지의 의료보험이 있어야 진료비용에 도움된다고 단양에 가서 퇴거를 나에게로 해서 의료보험을 청구하려하니 퇴거를 해오려고 고향에 내려 갔더니 동네 이장이 권태섭이 아들이 왔다고 방송을 하니까 빚쟁이 들이 몇 명 나와서 빚을 갚아야 퇴거를 해주겠다고 으름장을 놓았습니다. 당장 사람이 죽어 가니까 사려놓고 보자고 하니 완강하게 반대를 해서 결국에 퇴거에 동의를 얻지 못하고 읍사무소에 와서 사실데로 이야기하니까 얼은 읍장의 직결로 퇴거를 할 수 있었습니다.

서울에 올라와 저녁에 아버지와 그동안 있었던 이야기를 할 생각으로 아버지옆에 간호를 할 생각이 였

매일 250도씨에서 구워지는 빵처럼

는데 밤 10경에 병원에서 연락이 왔어요. 아버지가 위독하니 오늘을 넘기기가 어렵겠다고, 빨리 내려오라고 하더군요. 그래서 부랴부랴 내려갔더니 아버지는 산소 호흡기에 의존하면서 숨을 몰아쉬고 있었어요.

손을 만져보니까 아직은 따스한 온기가 있었어요. 나는 중환자실에서 나는 아버지의 귀에 대고 이렇게 이야기 했어요.

"아버지 하늘나라 가시거든 이 아들 잘되게 빌어주세요"

"아버지, 아들 잘 돼야 됩니다."

"아버지 병원에서 오래 계시면 어떻게 해야 될지도 나는 걱정을 많이 했어요."

나는 지금은 내가 아무것도 없이 이제 막 시작하는 형편이라고 아버지께 죄송하다는 말을 했어요.

"아버지 가시면 내일 장례를 2일장으로 합니다. 아버지" 하고 귓속말로 전했더니 그 말을 알아 들으셨는지 숨을 멈추시더니 맥이 뛰지 않더군요. 그리고 장례 절차를 아 성남 화장장에서 화장을 하고 2일장으로 마무리하게 되었어요. 그리고는 아버지와 영영 이별했습니다. 아마도 아버지가 하늘에서 도와주신 덕분인지는 모르겠습니다만, 나는 믿고 싶습니다. 지금까지 우리 가족과 빵집도 무탈하게 운영하면서 잘 살고 있는 것이 모두 아버지 덕분이라고...

매일 250도씨에서 구워지는 빵처럼

당신도 나처럼
딸 이겨낼 수 있습니다

여기까지 제 삶의 이야기를 보신 분들이라면 "저 사람은 어떻게 살아 왔을까" 하는 또는 나보다 더한 삶은 살아오신 분들도 계실 꺼라 생각합니다. 삶 자체가 평탄하지 않았기에 편부에서 자라면서 사회에 대한 불평이 있을 때도 있었죠.

친엄마가 없는 삶, 가정이란 울타리가 없었기 때문에 내 스스로가 나쁜 길로 가다가도 이 길이 아니다 라고 판단되면 빠져나올 수 있는 용기와 판단이 필요 했어요. 그리고 모든 판단과 결정은 혼자서 결정하고 판단해야 했죠.

사회는 한순간 어리석은 행동으로 인하여 결국에 나쁜 길로 빠질 만한 함정들이 도사리고 있었습니다.

초등학교 5년 때였던 것 같은데 계모에게 왜 때리느냐고 달려들고 싶었고 삶을 포기하려고 농약을 먹을 생각도 그 어린나이인데도 했었거든요. 그동안 삶의 고통과 어릴 적 힘든 순간들이 많았지만, 그 모든 순간들은 지나가게 마련입니다.

저 같은 사람도 이렇게 잘 살고 있으니 저처럼 힘든 분들도 용기를 잃지 마시고 잘 살 수 있을 거라 생각합니다 삶이란 완전한 절망도, 완전한 희망도 없습니다. 그저 자기가 스스로 선택한 운명을 받아들이는 것이죠.

10년 만에 찾아온 위기

보장된 성공이란 없다

제가 일본에서 빵을 배울 때 저에게 빵 기술을 알려준 사부님이 해준 말이 있습니다.

"당신은 10년만 앞치마 차고 경영한다면 성공할 것이다."

어찌 보면 제가 프랑세즈 제과점을 개업하기 전까지 묵묵히 일해 왔던 건 그 당시 내 사부님의 그 말 한마디 때문이었는지도 모르겠어요. 일본에 사부님은 한국의 기술자들의 心理(심리)를 잘 알고 있었어요 그분의 하시는 말씀은 한국기술자들은 창업을 하고 3년도 안돼서 앞치마를 벗어던진다고 一針(일침) 놓았어요 그러니까 망하고 없어지고 한다고 하셨어요 나는 창업을 하면 사부님의 말씀을 명심하고 실행에 옮기겠다고 다짐을 했어요. 그 행운 덕분인지 개업 이후에도 큰 우여곡절 없이 10년 간을 무탈하게 발전을 거듭하면서 빵집을 운영해나갈 수 있었습니다.

아내와 함께 일하게 된 이유

아내는 결혼 전 양말 브랜드 매장에서 근무했다가 결혼을 했습니다. 결혼 전에도 영업직에서 근무 했던 사람이니까 빵집 운영에 있어서도 큰 도움이 되었습니다. 아내가 매장 관리와 잘하면 저는 빵 만드는 데만 집중하면 되었으니까요.

하지만 시간이 흐르면서 아내와 의견이 조금씩 부딪히기 시작했어요. 그럴 수밖에 없죠. 부부 사이에는 살면서 여러 의견이 충돌하게 마련인데, 사업장에서 부부가 합이 맞기란 哀詩唐椒(애시당초) 불가능한 일이었습니다. 아내는 매출과 매장 관리 부분에만 신경을 쓰고 저는 빵을 상품화하고 고객 만족을 추구하는 성향이어서 운영적인 측면에서 서로 의견이 다를 때가 많았어요.

개업 이후 10년 간 매출은 완만하게 오르고 있었음에도 불구하고 저는 사업이 삐걱거리고 있다는 생각을 하지 않을 수 없었습니다. 제가 생각했던 경영이란 더 나은 성장과 발전을 위해 끊임없이 재투자를 해야 하는 것인데 아내는 장사가 잘 되는데 굳이 불필요한 지출을 해서는 안 된다는 입장이었어요. 어느 날 제가 답답한 마음에 아내에게 "당신 이럴 거면 사업자를 다시 나에게 넘기라"고 제안을 한 적도 있었는데 그 제안을 받아 드리지 않았어요. 나는 경영은 내가하고 돈은 아내가 챙겨 가면된다고 생각했는데 그것 마저 반영되지 않았지요. 나는 결국 프랑세즈과자점에 대한 애착의 열의가 점점 식어가면서 관심을 두지 않게 되었어요. 初志一貫(초지일관) 처음 시작했던 마음으로 경영을 해야 되는데 "경영의 기본은 이익이 창출되면 재투자 또는 기업의 복리후생"에 많은 노력을 기울려야 하는데 제품의 질이 자꾸 떨어지고 설비투자를 게을리 한 문제점을 발견 한 것이 였어요. 그 결과는 뻔 하지요. 잔소리로 들렸다는거죠 내가 문제점을 지적한 것이죠.

레스토랑 사업의 실패에서
배운 것

내 업이 아닌 일에서 배우다

그 당시 저로서는 아내에게 사업이 무엇인지, 그리고 내가 베이커리 외에도 다른 사업으로도 얼마든지 성공할 수 있다는 걸 보여주고 싶었습니다. 그래서 선택한 업종이 레스토랑이었어요. 지금이야 개인 레스토랑이 모두 사라졌지만 당시는 경양식 돈까스 등을 판매하는 레스토랑이 꽤 인기가 많았죠. 지인에게 가게 자리를 소개 받아 베이커리 부근인 선릉역 주변에 레스토랑을 시작하게 되었어요. 어찌보면 빵이 아닌 다른 업에 섣불리 손을 댄 것부터가 실수였던 것 같아요.

오기로 시작한 사업

사업을 시작한 타이밍도 좋지 않았습니다. 마침 98년 IMF가 있었는데 가게들이 숱하게 문을 닫기 시작했습니다. 제 아무리 레스토랑이라도 손님이 갑자기 줄었는데 버텨낼 재간이 없더군요. 제 입장에서는 안타깝기도 하고 억울하기도 하고, 적지 않은 돈을 투자해서 시작한 사업이 실패하니까 더더욱 큰 실의에 빠졌습니다. 무엇보다 나를 주시하고 있던 아내에게 더더욱 할 말이 없더군요.

나름대로 뭔가를 보여주겠다고 해서 시작한 사업이었는데, 결과가 제 마음처럼 되지 않자 더더욱 오기가 생기더군요. 아내가 나에게 프랑세즈 베이커리 경영권을 넘겼다면 그런 실패를 하지 않아도 되었는데, 나를 실패로 이끈 것이 아내인 것만 같아서 서운한 마음이 든 겁니다.

사업 수완을 발휘하다

다행히 저는 사업 수완이 없는 사람은 아닙니다. 레스토랑으로 손해본 돈을 만회하기 위해 당시 동대문의 두산타워 2층 남성복 매장 두 칸을 잡아서 월세를 놓았고, 이후에 그 매장의 권리금이 올라서 매각을 하고 돈을 벌었어요. 이후에도 남대문 의류타운 코너를 같은 방식으로 투자하여 월세를 받는 등 나름대로 재테크의 재미를 느끼고 있던 시기였죠.

제 일생일대의 큰 도전이라고 하면 서초동 일대에 원룸을 지어서 판 일화일 겁니다. 교대 대학가 주변에 학생들이 지낼 만한 제대로 된 원룸이 없었어요. 그래서 서초1동 동사무소 옆의 작은 땅을 사서 2층짜리 원룸을 지었습니다. 그때 제 나름대로는 "강남에 없었던 원룸을 만들겠다"는 다짐으로 건축 설계사와 맞춤형 설계까지 하면서 건물을 지었어요.

당시만 해도 주차장이 있는 원룸이 없었습니다. 저는 원룸에 꼭 주차장을 짓고 싶었어요. 그래서 지하에 주차장을 파서 세대당 1대씩은 차가 들어갈 수 있게 설계를 했습니다. 그렇게 해놓고 임대를 놓으니 공실이 생길 리가 없었죠. 100평 규모의 땅에 9개 원룸을 만들었는데 늘 대기자가 있었습니다.

세대마다 베란다가 있어서 신혼부부들이 살다가 가는 경우도 있었어요. 남들과 차별화된 관점으로 가치를 창출하면 어떤 사업이든 성공할 수 있다는 확신과 자신감을 얻은 계기였죠.

성장통을 겪다

돌이켜보면 아내에게 빵집을 맡기고 외부로 돌았던 이 방황의 시기가 저에게는 세상을 보는 시야를 넓혀준 좋은 기회였습니다. 제 인생에서 골프를 처음 배운 시기도 이때였죠. 사람들이 골프를 치는 이유가 '인맥

매일 250도씨에서 구워지는 빵처럼

교류'에 있다는 걸 그때 처음 알았습니다. 같이 골프 라운딩을 돌면서 여러 분야의 사람들을 만날 수 있었고, 거기서 세상을 보는 시야를 넓힐 수 있었습니다.

사람 인연이라는 건 어떻게 풀려나갈 지 모르는 법입니다. 설령 그 과정에서 실패를 경험했다고 하더라도 한 번 맺은 인연을 소중히 여겨야 한다는 것이 제 신념입니다. 당시 모 연예기획사의 부동산 개발을 담당하던 유 이사님과 얘기가 통해서 새로운 사업을 구상했습니다. 이 기획사는 국내 굴지의 기획사로 유 이사님은 여기서 레스토랑과 호텔 개발을 담당하는 분이었죠. 어느 날 그 분이 저에게 "아는 지인과 함께 상권 개발을 해보지 않겠느냐"고 하더군요. 막걸리 공장을 같이 해보자는 제안이었습니다.

당시 막걸리는 국내 주류 시장에서 꽤 인기를 얻던 아이템이었죠. 제 기억으로는 장수 막걸리가 일본 신

주쿠 부근에서 직접 생산한 막걸리를 팔아서 뉴스에도 나왔던 시기였어요. 제가 막걸리 공장에서 막걸리를 만들면 유 이사가 자사 소속 연예인을 통해 광고를 할 수 있도록 도와주겠다는 거였죠. 궁극적으로는 장수 막걸리처럼 수출까지 해보자는 나름대로 야심찬 계획까지 세운 상태였습니다.

유 이사와 저는 문경의 공장 부지를 함께 알아보는 등 사업 착수를 위해 함께 움직이기 시작했습니다. 하지만 당시 유 이사는 저에게 설명한 내용과는 딴 꿍꿍이가 있었다는 걸 몰랐어요. 막걸리 기술을 내세워 투자자를 모집한 뒤 이 돈을 가로채려는 흑심이 있었죠. 저는 그런 속도 모르고 막걸리 공장을 운영할 꿈에 부풀어서 서초동 원룸을 매각하고, 충북 진천에 3000평 부지를 매입, 약 500평 규모의 공장을 짓게 됩니다. 저는 막걸리 공장 법인의 사외이사로 참여하고 돈을 투자했어요.

그 당시 양주시 덕소에서 빵 장사를 하는 L 형님이 있었습니다. 막걸리 공장을 하려는 실제 주체는 L 형님이었던 거죠. 저 역시 '내가 이런 사람이 있는데 이 사람도 막걸리 공장을 찾고 있다고 하니까' 이야기가 빠르게 급진전하게 되었습니다.

막걸리를 잘한다는 L 형님의 소개로 기술자를 만나러 문경에 있는 막걸리 공장도 견학하고 기술자를 만나보러 갔어요. 그 기술자 또한 막걸리에 대한 열정이 그 당시에는 많았던 것 같았죠. 자기가 연예인 가문에 영광의 막걸리를 만든 장본인이라고 스스로를 소개하더군요. 나는 당시 그가 기술이 좋다고만 생각하고 있을 때였습니다. 어찌보면 조금 순진했죠.

대화 내용인즉, 자신이 막걸리 제조 기술을 가지고 있으니 투자자를 찾고 있었는데 L 선배를 알게 되어서 나에게 소개를 받게 되었던 것입니다. L 선배는 내가 형제가 없어 친형처럼 생각하고 살았고 부산에서 생활했을 때도 형수가 나에게 따듯한 밥을 늘 해줬던 분이어서 저는 그를 철썩 같이 믿었죠.

카바레에서 노래할 때도 늘 응원 해준 형이기도 했죠. 우리들의 관계는 더 이상 물어볼 필요는 없을 만큼의 관계였다고 해야 할 것 같습니다. 막걸리 기술자는 유아무개란 사람이였는데 그 사람은 충북 진천 이월면에다 3000평에 공장을 지으려는 상황이었어요.

함정에 빠지다

저는 그가 투자자를 찾고 있다고 형님한테 이야기를 들었죠. 정리하자면 유아무개, L형, 나 3명이 만나 법인의 대표를 이**으로 결정했고 나는 사내 이사로 투자금을 넣기로 결정하고 사업을 추진해나가기 시작했습니다. 그런데 하나부터 열 가지가 전부 의심스러운 부분들이 많이 나타났죠. 투자금으로 8억을 투자해

매일 250도씨에서 구워지는 빵처럼

서 의심스러운 자본금을 어떻게 만들었는지 제무재표를 검토해보니까 문제 투성이었어요. 유 아무개란 사람은 돈 한푼 없이 입으로로만 한 것이 나타났고 내가 투자한 돈으로 간신히 이어져가고 있는 것을 발견하고 더 이상은 투자 할 수 없다고 선언했죠.

대표이사는 아파트를 담보로 여기저기에 투자자를 받으러 제과 계통의 아는 지인들에게 손 뻗은 곳이 대다수였으니 상황이 어느 정도인지 짐작이 가실 겁니다. 매일 같이 서울에서 진천을 오가며 지켜보았지만 3년 안에 부도가 날 수 밖에 없는 구조라는 것을 이사회를 통해 말했더니 나에게 돌아오는 건 권 이사님과는 너무 까다롭게 해서 같이 일 못하겠다는 딴지를 걸어왔어요. 그때 이사직을 그만두고 나가 있으면 3개월 안으로 투자금을 돌려 드리겠다는 제안을 대표이사가 합니다. 두명이서 말을 맞추고 나에게 제안한 것이죠.

그러는 와중에 중고기계를 설치해서 만든 막걸리 생산라인이 고장나기 일쑤고 간신히 생산된 막걸리를 가지고 S 기획사가 청담동에 갔습니다. 블라인드 테스트를 한다고 수 차례 막걸리를 갖다 줬지만 별 소득도 없었죠.

공장에서 생산된 막걸리는 제 기준에서는 술을 한 잔도 안 마시는 내 입맛에서도 맛있었어요. 막걸리 역시 빵처럼 발효 기술이 핵심인 터라 빵과 전혀 무관한 분야도 아니라고 생각했지요. 하지만 앞서 언급했듯이 흑심을 품은 이사와 기술자들의 결탁에 속아서 법인은 부도를 맞게 됩니다. 저로서는 희망에 부풀어 있다가 막걸리 한 잔도 못 팔아보고 속절없이 망한 거죠.

프랑세즈과자점 매장에 떡을 도입하다

그 와중에도 기본적으로 제과점에 매출을 올리기 위한 일본인 세미나에 참석하는 등 바쁜 나날을 보냈습니다. 국내 유명 셰프를 초청해서 일일 세미나를 해서 신제품으로 고객들에게 맛을 끌어 올리는 데 개을리 하지 않았고 계절별 나는 과일과 계절별 행사들을 개성에 맞게 진행해 꾸준한 매출을 유지해왔죠.

주변 경쟁력있는 파리바게뜨가 큰 매장을 가지고 들어오고 있을 때였어요. 내가 경쟁사를 이길수 있는 제품은 무엇이고 어떻게 하면 경쟁에서 살아 남을 수 있을 까를 고민하면서 시장조사를 통해 제과점에 떡을 만들어 파는게 경쟁력이 되겠다고 판단을 했습니다.

그리고 이후 떡으로 성공한 대구의 서문시장 떡집을 대구에 사는 친구 윤진희를 통해서 소개받았어요. 새벽에 떡을 생산하니까 서울 고속버스 터미널에서 막차를 타고 가면 새벽 시간에 도착해서 떡에 대한 기술을 배워 왔죠. 아내에게 우리는 주변 업체들과 경쟁하려면 빵과 떡을 생산하려 하는데 어떤 생각을 가지고 있는가 물었더니 아내는 퉁명스럽더군요.

일을 벌여놓고 하지도 않을 뿐이고 떡을 만드는 시설조차도 돈이 없다며 반대를 했습니다. 그러나 미래에 닥쳐올 우리제과점의 모습은 이대로 간다면 경쟁력을 잃어서 나중애는 어떻게 손을 쓸 수 없을 만큼 될 수밖에 없다는 개인적인 판단으로 일을 추진했어요.

설비는 지인을 통해서 얼마씩 벌어 갚을 것을 약속하고 아내와는 언쟁 끝에 떡 판매를 밀어 붙였죠. 빵은 기술이 좋은데 떡은 기술이 숙달되지 않아서 처음에는 실수도 많이 했습니다. 그래서 꼭 해야 할때는 싸움을 하면서 실행에 옮겼고 결정적인 때에는 내가 앞장서서 해결하기도 했어요.

삶의 이유를 잃다
그러나 자금 운영 측면에서는 어려움이 많았습니다.

심지어 개인 사비를 털거나 지인의 돈을 빌려서 기계를 사고 인테리어를 하며 최종 결정을 한 적도 있습니다. 떡과 빵을 생산하기에는 하루 24시간이 부족할 때가 많이 있었어요. 기술적으로는 제과점 일과 새로운 사업인 막걸리 공장이 위기에 있고 정말 힘든 시기였죠.

특히 원룸을 팔고 가진 돈을 모두 털어서 시작한 공장이 그렇게 되니까 사람이 삶의 이유가 사라지더군요. 지금에 와서야 밝히지만 집에 있으면 베란다 아래로 몸을 던지고 싶다는 생각을 순간적으로 할 때도 있었습니다. 모든 걸 정리하고 산속에서 혼자 살겠다는 생각까지 했죠. 아마 그 상태로 제가 저를 내버려두었다면, 세상을 그대로 하직했을 수도 있을 것입니다. 하지만 제 인생이 저를 또 다른 길로 안내했어요. 제가 죽이서는 안 되는 이유가 있었습니다.

제3장

나는 어제보다 나은
오늘을 살고 싶다

제 이름으로 된 취미로 은반을 만들어보았어요.
물론 제 노래 실력이 젊을 때처럼 음역대가 넓고 좋지는 못했습니다.
하지만 제가 스스로 노래를 잘해서 음반을 냈다기보다는
여전히 나는 꿈을 꿀 수 있고 하고 싶은 것을 해낼 자신이 있다는 의미에서
도전한 것입니다. 어떤 사람은 꿈이란 그저 젊은 시절 한 때 잠깐 불꽃처럼
타오르다 사그러드는 것이라고 생각할 수도 있겠죠. 하지만 저는 반대로
생각합니다. 꿈을 꾸지 않는 사람은 늙는 것이고 적어도 꿈을 꾸는 한 그
사람은 절대 나이 들지 않는다는
신념을 가지고 있습니다.

다른 사람을 가르치는 일을
시작하다

내가 공부를 시작한 이유

어느 날 시골 학교에서 전화 한 통이 걸려오더군요. 수화기 너머에서 하는 말이 제과 제빵 기술을 아이들에게 가르쳐줄 수 있느냐는 거였어요. 당시 실의에 빠져서 어떻게든 삶의 이유를 찾아야 했던 저로서는 무엇이든 해보자는 상황이었기에 그 제안을 수락했습니다.

기술이 전부는 아니다

그런데 남을 가르치려고 보니 내 스스로가 어느 정도 준비된 사람인지 새삼 돌아보게 되더군요. 빵 만드

나는 어제보다 나은 오늘을 살고 싶다

는 기술은 누구보다 자신이 있었지만 막상 이력서를 보내놓고 보니 결과가 좋지 않았어요. 제가 사회적으로 봤을 때는 초등학교 밖에 나오지 못한 빵 기술자로 비춰질 수 있다는 걸 알게 되더군요.

그 전까지만 해도 이력서로 나를 평가받을 일이 없었다보니 오로지 실력 하나로만 승부한다는 생각이었습니다. 하지만 이제는 기술은 인정받은 것에서 한 발 더 나아가 내 스스로를 증명해야 하는 상황이 되었다고 생각했습니다. 그때부터 '반드시 대학 학위를 갖겠다'는 일념으로 검정고시를 준비하기 시작했죠.

그렇게 준비하고 1년 만에 검정고시에 합격하고 중학교 과정 1년, 고등학교 과정 1년 만에 졸업장을 받았습니다. 실무 경험이 많다보니 자연스럽게 대학 진학에 욕심이 생기더군요. 만학도로서 내가 공부할 수 있는 곳을 찾다보니 강원도 고성에 있는 경동대학교에

입학하게 되었습니다. 주변에서는 '굳이 왜 그렇게 멀리까지 대학을 가려느냐'고 저를 말렸지만, 당시 저는 잠깐의 쉼이 필요한 시기이기도 했습니다. 나 스스로를 재충전하면서 자기계발도 할 수 있다는 생각에 고성에 방을 하나 얻어놓고 강원도에서 살면서 공부를 했습니다.

친구의 조언으로 깨달음을 얻다

동종업계에서 오랜 세월 동안 절친 친구인 고재석은 한국관광 대학교에서 학생을 가르치는 교수였습니다. 하루는 그가 "문환아! 너 같이 빵 기술이 좋은 사람이" 왜 "대한민국제과기능장을 자격증을 취득하지 않느냐"고 나에게 따끔한 일침을 놓았습니다.

"너 실력이면 취득하고도 남는 실력이다"라고 용기를 줘서 도전해보라고 해서 자격증을 취득하게 되었습니다. 그는 항상 나에게 조언을 많이 해주는 친구였습

나는 어제보다 나은 오늘을 살고 싶다

니다. 이 친구는 지금도 학교에서 열심히 미래를 위해서 연구하고 젊은 학생들에게도 배울 점이 많다고 하면서 늘 긍정적인 마인드를 가지고 친구입니다

뒤돌아보면 이때 공부하기를 참 잘한 것 같습니다. 제과 제빵 기술인들 중에서는 나처럼 실무 경험이 많은 사람들은 많이 있지만 학문 공부를 등한시 하는 분들이 꽤 있습니다. 하지만 제가 대학 공부를 해보니 왜 그렇게 대학에서 공부를 해야 되는지 를 알겠더군요. 제 스스로 경영을 해본 뒤에 공부를 하니 공부가 머리에 쏙 들어왔어요. 경영을 한 번이라도 해본 사람과 그렇지 않은 사람이 경영을 공부하는 건 하늘과 땅만큼 차이가 있다는 생각을 그때 했었죠.

공부의 즐거움을 깨닫다

'공부를 해서 남 주느냐'는 말이 있죠. 제가 공부를 해보니 일종의 '희망'이 생기더군요. 당시 저는 주변에

배신을 당했다는 증오심에 불타올랐던 사람이었는데 공부하면서 그 증오심이 사라지고 말았어요. 살면서 누군가를 탓하거나 미워하는 것은 부질없는 일이고 결국 내 인생에서 벌어지는 일은 오롯이 내가 책임을 져야 한다는 생각을 갖게 된 것이죠.

물론 공부하는 과정이 그리 호락호락하지만은 않았어요. 요즘 대학 공부는 컴퓨터 없이는 과제 한 장 써낼 수 없는데 저는 파워포인트 커녕 자판도 더듬거리면서 치다보니 대학을 포기하고 싶은 생각이 많이 들더군요.

대학 공부라는 것이 단순히 학문을 익히는 것만이 아닌, 요즘 사회인으로서의 기능과 기술을 모두 익히면서 젊은 세대와 소통을 해야 한다는 걸 알게 되니까 좌절이 되더군요. 하지만 저는 워낙에 악바리 근성과 도전의 정신이 있어서 그때부터 입시학원에 다니는 학

나는 어제보다 나은 오늘을 살고 싶다

생들처럼 영어학원에 다니고 컴퓨터를 배우면서 제 스스로를 단련시켰습니다.

처음부터 학교 주변에 방을 얻을 생각을 했던 건 아니었어요. 여관에서 宿泊(숙박)하면서 공부하는 나를 안타깝게 여긴 교수님께서 학교 근처 아파트 전세를 알아봐주신 거죠. 사실 이 모든 과정이 그동안의 저를 한 번 더 내려놓을 수 있는 계기를 만들어주었습니다.

'그래, 어차피 시작한 공부인데 나 스스로를 한 번 더 시험해볼 수 있는 기회를 삼자'

이런 마음으로 스스로를 위안을 삼으면서 한 발 한 발 공부를 해온 것이 학사 과정 졸업까지 이어진 것이에요. 지금 돌이켜보면 만약 제가 처음에 포기했다면 인생의 소중한 교훈을 미처 배우지 못한 채 원망과 비난 속에서 살았을 것입니다. 공부를 놓지 않게 끝까지

한 것이 얼마나 다행스러운 일이었는지요.

대학원에 진학하다

그런데 사람 욕심이 끝이 없어요. 학사 공부까지 마치고 나니까 공부에 비로소 흥미와 재미가 붙었습니다. 공부를 더 해야겠다는 마음이 생기더군요. '공부가 내가 걸어가야 할 길이다'는 생각까지 들었습니다. 주변 친구들은 "나이 먹고 공부하면 뭐 하나 외우는 것도 제대로 안 된다"고 하던데 저는 공부하는 것 자체는 전혀 힘들지 않았어요. 아마도 공부가 天上(천상) 제 체질이기 때문일까요.

서울에서 고성까지 편도 3시간은 족히 걸리는데도 가는 길이 그렇게 즐거울 수 없었죠. 갈 때도 차안에서 영어 테이프를 들으면서 단어 공부를 하고 가면 시간 가는 줄 몰랐습니다. 제가 그나마 영어 실력이 늘었던 비결을 말하라면 서울과 강원도를 오가는 차안에서 들었던 영어 테이프 때문이었어요.

요즘은 제주도가 귀촌지로 인기인데 제가 보기에 나이가 들어서 은퇴하고 살아가기에는 강원도만한 곳이 없다고 생각됩니다. 제주보다 훨씬 나아요.

학사 공부를 끝내고 대학원은 강릉에 있는 가톨릭 관동대에 진학했습니다. 공부에 열정을 다하다보니 학부생 들을 가르칠 기회도 주어지더군요. 특강을 하면서 학생들 반응이 워낙 좋다보니 공부하길 잘했다는 생각이 들었습니다.

꿈이 있다면 포기하지 마라

만약 지금도 하고 싶은 일이 있다면

저는 이 책을 읽는 50~60대 분들께 이렇게 묻고 싶습니다.

"지금 뒤늦게라도 이루고 싶은 꿈이 있다면 도전해 보고 싶은 생각이 있습니까?"

제 주변에 지인들에게 이런 질문을 하면 다들 꿈이라는 단어를 생소하게 여기더군요. 아마도 젊은 시절에는 그들도 나름의 꿈이 있었을 겁니다. 그런데 현실을 살아가면서 어느 순간 자신의 꿈을 잊고 산 것이겠죠. 그런데 저는 나이가 들어서도 마치 청년의 심장처럼 두근거리고 설레는 꿈을 늘 간직하며 삽니다. 아마도 제가 철이 들지 않아서인지도 모르겠어요. 철든 인생은 진짜가 아니라는 생각에 늘 새로운 것을 보고, 듣고, 꿈꾸면서 살아가고 있습니다.

노래를 계속하는 이유

노래도 그렇습니다. 앞서 제가 과거에 무대 위에서 노래를 했지만 가수의 꿈을 저버렸다고 했는데 그렇다고 노래의 꿈마저 접은 것은 아니었어요. 공부로 내 자신을 증명했으니 이번에는 노래로 스스로를 증명해보자는 생각이 자연스럽게 들더군요. 그래서 다른 가수의 노래를 내 목소리로 CD 한 장 만들어 보았어요. 물론 제 노래 실력이 젊을 때처럼 음역대가 넓고 좋지는 못했습니다. 하지만 제가 스스로 노래를 잘해서 음반을 냈다기보다는 여전히 "나는 꿈을 꿀 수 있고 하고 싶은 것을 해낼 자신이 있다는 의미"에서 도전한 것입니다. 어떤 사람은 꿈이란 그저 젊은 시절 한 때 잠깐 불꽃처럼 타오르다 사그러드는 것이라고 생각할 수도 있겠죠. 하지만 저는 반대로 생각합니다. '꿈을 꾸지 않는 사람은 늙는 것이고' 적어도 꿈을 꾸는 한 그 사람은 절대 나이 들지 않는다는 신념을 가지고 있습니다.

이유 있는 장모 사랑

사람들은 대부분 눈에 보이는 것만 보고 판단합니다. 하지만 정말 중요한 것은 눈에 보이지 않죠. 저희 장모님이 그런 분이셨습니다. 결혼 당시 저를 눈으로 보이는 것으로 판단하지 않고, 저희 숨은 가치를 봐주셨죠. 손에 쥔 것 하나 없었던 저를 사위로 받아들인 것은 아마도 제 눈빛 때문이 아니었을까싶습니다.

'저 정도 눈빛이면 내 딸 밥은 굶기지 않겠다'는 생각을 하지 않으셨나 짐작해봅니다.

한 번은 장모님이 작은 아들 집에서 빨래를 하시다

나는 어제보다 나은 오늘을 살고 싶다

가 발목이 삐끗해서 넘어진 적이 있습니다. 나이가 있
으시다보니 허리가 다쳐서 한방병원에 입원하셨어요.
저는 그 소식을 듣고 부랴부랴 대전에 있는 병원에 내
려갔습니다. 상태를 보니 그냥 내버려두면 안 되겠다
는 생각이 들더군요. 그때 제 머릿속에 스치는 한 사람
이 있었습니다.

앞서도 골프로 맺어진 인연을 말씀드린 적 있는데,
그 중에서 세브란스병원에 인맥이 있는 최형이라는 사
람을 알게 되었어요. 그 분이 어느 날 제가 하시는 말씀
이,

"병원에 진료를 볼 기회가 있으면 언제든지 나에게
부탁해. 내가 들어줄 테니까"

하시더군요. 그때 저는 그 말을 기억해두었다가 정
말 도움이 필요하면 내 한 번은 연락드리겠다고 했습

니다. 그 이후 한동안 그 말을 잊고 살았어요. 그리고 장모님이 다치셨던 바로 그 순간에 최형 생각이 나더군요. 저는 곧바로 최형에게 전화를 걸어 사정을 이야기하고 부탁을 했습니다. 그래서 서울대학교 병원에 틀어진 뼈를 접합하는 시술을 잘한다는 이 모 교수님께 수술을 받을 수 있었습니다. 원래 교수님께 수술을 받으려면 6개월 이상을 기다려야 하지만, 15일만에 예약을 잡아주셨어요. 지금 생각하면 참 감사한 일입니다.

사람의 진심은 항상 통하는 것만은 아닙니다. 제가 장모님을 위해 어렵게 수술 날짜를 잡았는데 처음에 형제들이 반대도 찬성도 아닌 떨떠름한 반응이었어요. 마치 제가 안 해도 될 일을 벌여서 하는 것처럼 비춰지길 래 형제들을 모아놓고 그랬습니다.

"장모님이 이번 수술로 잘못되면 모든 걸 내가 책임

지겠습니다. 이번에는 나를 믿고 한 번 맡겨보세요."

그렇게 앰뷸런스를 타고 서울대병원으로 도착해서 1박 2일 일정으로 수술을 받고 나오셨어요. 수술받고 나오는 장모님 표정이 무척 환하더군요. 그걸 보고 안심을 했습니다. 그때 저는 비로소 장모님의 마음에 조금이나마 보답을 했다는 생각을 했어요. 만약 장모님이 제가 어려울 때 집에 와서 살림을 도와주지 않았다면, 또 아이들을 키워주지 않았다면 아내와 저는 지금처럼 살아갈 수 없었을 것입니다. 아마 무척 어렵게 살았을 것이라고 생각해요.

요즘은 처갓집에 가면 환대를 받습니다. 저는 장모님에게 나름대로 즐겁게 사시라고 작은 저금통을 하나 사다두고, 50만 원을 현금으로 넣어서 드렸어요. 언제든 필요한 게 있으면 시장에 가서 잡수고 싶은 음식을 사드리라고 말이죠. 처갓집은 9남매인데 제가 한 번 내려간다고 하면 모두 다 모입니다. 18명이나 되는 대식구가 놀만한 장소를 찾는 게 그리 만만치는 않아요. 결혼 초기에는 강가에 커다란 텐트를 치고 鐵葉(철엽)하면서 놀기도 했는데 그것도 몇 번 해보니까 일이더군요.

그래서 대명리조트 회원권을 구입해서 가족들이 언제든 콘도에 와서 쉬다갈 수 있도록 했습니다. 그 전에는 커다란 화물차에 솥단지며 먹을 것을 잔뜩 싣고 다녔던 문화에서 리조트 중심의 깔끔한 문화로 바뀌니 다들 무척 만족해합니다. 오롯이 여행만 즐길 수 있으니 더 없이 좋지요.

나는 어제보다 나은 오늘을 살고 싶다

대전 장태산 자연
휴양림에 가면

지금도 저는 그냥 시골이 그리워지면 처갓집과 처남댁으로 무조건 내려갑니다. 가면 친구처럼 항상 따뜻하게 맞이 해주는 대전 장태산 숲속의 작은집 처남

대구성서공단에 현대 화이바 (주)

이영수 동서형님을 빼 놓을 수 없는 분이십니다. 형님은 내가 창업으로 초창기에 어려움을 겪고 있을 때 돈이 필요하다고 하면 고속버스 편으로 약속어음을 발행해주신 처갓집 집안에서 맞이 이신 형님!! 오래오래 건강하시고 그 은혜 잊지 않고 살고 있습니다. 책을 발행하면서 감사의 말씀을 드립니다.

인 박권호, 진순용이 있습니다. 두 사람은 내 인생의 영원한 동반자이기도 합니다. 조그 만한 일에도 걱정과 격려를 해주는 참 좋은 분들이죠. 손위 처남이지만 언제나 내려가면 한결같은 마음으로 처갓집의 형제들과 友愛(우애) 좋게 이끌어 가는 모습을 보면서 참 괜찮은 처남과 처남댁인 것 같다는 생각을 해봅니다.

나는 어제보다 나은 오늘을 살고 싶다

위기를 기회로 만드는 사람

누구에게나 위기가 오지만

사업을 하면서 위기가 없을 수는 없습니다. 다만 그 위기를 기회로 바꾸느냐, 아니면 위기를 그대로 받아들이느냐는 오롯이 자신의 몫이죠. 어찌보면 인생이 그렇지 않을까요. 삶의 모든 경험들은 우리들 각자의 성장을 위해 반드시 필요한 여정인지 모릅니다.

나 역시 힘든 경험들이 많았습니다. 베이커리 사업을 하며 다양한 빵을 만들고 시식하는 과정에서 나는 떡을 도입하는 등의 노력을 했습니다.

멀리 지방에 내려가서 떡을 배워 새벽 같이 떡을 만드는 저를 보고 주변에서는 "빵집에서 떡을 왜 하느냐"고 했지만 곧 떡이 날개 돋힌 듯 파는 걸 보고 다들 놀랐어요.

동시에 빵의 맛만이 아닌 다양한 메뉴를 도입하여 고객의 품질을 높이는 기회로 삼았던 것이죠. 당시 나는 번 돈을 재투자하는 방식으로 프랑세즈 과자점을 업그레이드하기 위해 노력했어요.

쇼케이스를 교체하고 외부 인테리어를 교체하면서 다양한 시도를 한 것입니다. 새로운 변화는 도입 당시에는 그 차이가 체감되지 않습니다. 주변에서도 "왜 잘 되는 가게에 굳이 그런 변화를 시도하느냐"고 이해할 수 없다는 반응을 내비치기도 하죠. 하지만 오직 오너 세프의 눈에만 보이는 것들이 있습니다. 정작 중요한 것은 보이는 매출이 아니라 눈에 보이지 않는 성장의 정체입니다.

그러한 변화가 가시적 성과로 보이기까지는 1년 이상의 노력이 필요합니다. 나 역시 인테리어와 쇼케이스 제조 설비 등의 변화로 꺾인 매출이 회복되어 성장하기까지는 인고의 시간을 견뎌야 했으니까요. 내 가게를 제3자의 관점으로 객관적으로 보기 위해 정말 여러 가지 노력을 했습니다. 그 중에 하나는 사장을 따로 고용하고 '대리 경영'을 통해 내 가게를 살펴본 것입니다. 마치 경영컨설턴트가 매장을 진단하듯, 빵의 맛과 가격부터 서비스의 퀄리티, 매장 인테리어의 수준 등을 전반적으로 점검했습니다.

도전을 통해 새롭게 업그레이드하다

당시 한국의 제과점 서비스와 마케팅의 수준은 일본과 비교하여 뒤처진 상태였습니다. 오죽하면 내가 '제과점을 매각해야 할 지도 모른다'는 생각까지 들 정도였으니까요. 사장은 자신이 운영하는 매장을 제3자의 관점으로 접근하기 어렵기 때문에 이러한 단점을 잘 볼 수 없습니다. 왜냐하면 경영에만 몰입하기 때문입니다. 하지만 어떤 업장이든 지속적인 경쟁 환경에서 살아남고 꾸준히 매출을 내려면 발전이 필요합니다. 특히 베이커리처럼 소규모 점포의 경우는 사장의 발전이 곧 사업장의 발전과 직결됩니다.

제가 공부를 하면서 제 스스로를 업그레이드하려고 노력하는 것은 저의 발전을 위해서이기도 하지만 프랑세즈 베이커리를 위해서이기도 했어요. 자신이 무엇이 부족한지를 끊임없이 점검하고, 이를 발전시키기 위해 노력하는 것이 저만의 강점이라고 생각합니다.

사실 이렇게 끊임없는 발전을 모색하는 이유는, 어제보다 나은 오늘을 살기 위해서입니다. 누구나 다 마찬가지일 거예요. 그리고 어제보다 오늘이 더 나으려면 다른 사람을 위해서 무언가 가치를 제공해야 합니다. 고객이 느꼈을 때 "이 가게는 내 삶에서 없어서는 안 되는 가게다"라는 점을 느끼게 하려면 오너 세프는 내가 고객에게 봉사하는 수밖에는 없어요. 오랫동안 장사를 해오다보니 제 나름의 결론을 내린 것이 이것입니다.

어쩌면 우리가 살아가는 이유는 다른 사람에게 봉사를 하기 위함이 아닐까요. 제 인생을 돌아보더라도 어려운 형편 속에서 제과제빵 기술을 배우며 성장해왔지만 이제는 제가 가진 경험과 기술을 다른 사람과 나누고 더 나은 세상을 위해 봉사하고자 합니다. 앞으로 남은 삶이 가치 있으려면, 그리고 앞으로 남은 삶을 더욱 행복하려면 봉사의 목적으로 살아가야 한다고 생각합니다. 적어도 현재 제 삶의 목표는 그것입니다.

끝까지 책임을 다하는 삶

小貪大失(소탐대실)을 피하며 사는 이유

    저는 일을 할 때 끝까지 책임을 다하는 자세가 중요하다고 생각합니다. 제가 빵집을 처음 경영하던 시절에 장사가 잘 되어 케이크를 배달하던 적이 있었습니다. 당시 주요 단골 중에는 서초동 검찰청이 있었어요. 크리스마스 무렵이었던 걸로 기억합니다.

    새벽에 케이크를 스무 개 주문이 급하게 들어와서 부랴부랴 만들고 오토바이로 배달을 갔죠. 당시 베이커리에서 빵을 배달하던 사람은 아마 제가 유일했을 겁니다. 저는 고객이 원하면 무엇이든 한다는 주의였고 빵 배달 역시 바쁜 검찰청 직원들을 위해 제가 할 수 있는 서비스의 일환이었죠.

그런데 이게 웬걸, 새벽에 만든 케이크를 배달하고 돌아왔는데 전화가 걸려온 겁니다.

"케이크가 전부 망가졌습니다. 어떻게 된 일인가요!"

저는 당황해서 그럴 리가 없다고 곧바로 현장으로 갔지요. 그런데 아니나 다를까 가서 보니 케이크 스무 개가 전부 무너진 것입니다. 알고 보니 제가 빗길에 오토바이를 몰고 가면서 케이크 상자가 중심을 잃고 케이크의 데코레이션이 무너진 거였어요. 저는 너무나도 당황스러워서 고객에게 여러 번 사과를 하고 다시 만들어 가져다드리기도 했죠.

나는 어제보다 나은 오늘을 살고 싶다

케이크를 오토바이로 배달시키는 상황이니 모양이 조금 뭉개졌다고 해도 그것이 다시 고객에게 납품할 사유까지는 아닐 수 있습니다. 어떤 사람은 사과를 하고 그냥 납품을 한다고 할 수도 있어요. 하지만 저는 제가 만든 빵에는 제 영혼이 담겨 있다고 생각했기 때문에 그걸 그대로 넘길 수가 없었죠.

눈이 와서 미끄러운 날씨였더라도 케이크가 조금도 무너지지 않게 배달을 해야 하는 건 온전히 제 책임이었어요. 케이크를 배달해주겠다고 한 건 바로 저였으니까요.

제가 그렇게 끝까지 책임을 다하는 모습은 주변 이들에게도 잘 비춰진 모양입니다. 그 이후로도 검찰청 직원 분들은 해 마다 우리 베이커리를 이용하는 단골 고객이 되었으니까요. 제가 좋아하는 사자성어 중에서 '소탐대실'이라는 말이 있습니다. 작은 이익을 취하려다가 큰 이익을 잃어버린다는 뜻이죠. 아마도 사업을 하는 사람들 중에는 소탐대실을 하는 경우가 많을 거예요.

그러나 저는 소탐대실을 그 어떤 경우라도 경계하려고 했습니다. 그 덕분에 작은 베이커리를 32년 이상 동안 무사히 운영할 수 있었다고 생각합니다.

지식과 경험을 나누다

사람은 결국 죽을 때 모든 것을 내려놓습니다. 제 아무리 부귀영화를 누리던 사람도 죽을 때는 빈손으로 가야 합니다. 그렇다면 평생을 쌓아온 지식을 다른 사람과 나누는 것이 얼마나 중요한지 알게 됩니다. 나 혼자만 잘 살겠다고 손에 움켜쥐고 있으면 그마저도 마지막에 다 손에서 빠져나갑니다.

그러면 어떻게 사는 것이 옳은 삶일까요? 저는 남에

게 베풀면서 사는 삶이 바로 그것이라고 생각합니다. 결국 우리가 살아가는 이유는 세상에 내 이름을 남기고자 함인데, 그 이름을 남기기 위해서는 끊임없이 노력하는 것입니다.

저는 누구나 죽을 때까지는 자신에게 투자를 게을리 하지 말아야 한다고 생각합니다. 분야가 무엇이 되었든, 그동안 알던 분야가 아닌 새로운 분야를 도전함으로써 계속 성장해나가는 것이 필요합니다. 제 경우는 제과 제빵 기술을 배우기 위해 일본으로 무작정 떠난 경험이 있습니다. 당시에는 일본어를 전혀 몰랐는데도 현장에서 부딪히다보면 결국 몸이 해석하게 됩니다.

단점을 장점으로 바꾸며 살아가는 법

누구에게나 약점은 있다

세상에 완벽한 사람이 있을까요? 저는 없다고 생각합니다. 그러므로 완벽하려고 노력하는 것도 부질 없는 일이죠. 그저 인간은 하루하루 어제보다 오늘 더 낫기 위해 노력하는 것이 중요합니다. 자기의 약점을 알고 이를 개선하려고 노력하는 사람과 그렇지 않은 사람은 큰 차이가 있겠죠. 저는 누구보다 부족한 사람이라는 걸 스스로 알고 있었어요. 그렇기에 나 자신에 대한 투자를 과감하게 할 수 있었죠. 자기계발의 중요성을 알더라도 스스로에 대해 실제로 투자할 수 있는 사람은 흔치 않습니다. 노력이라고 해서 꼭 거창할 필요는 없습니다. 매일 바둑을 조금 더 잘 두기 위해 연습한 다거나 저처럼 노래를 부르는 걸 취미로 계속 발전시켜나가서 결국 음반을 내는 것도 그런 노력 중 하나죠.

이따금씩 후배들을 위해 제빵기술을 알려주는 강의에 나가기도 합니다. 반대로 제가 저보다 실력이 좋은 후배들에게 배우는 시간도 있지요. 주변에서는 "아직도 뭐 그렇게 배울 것이 많으냐"고 하지만 저는 제가 제빵 기술이 뛰어나더라도 변화하는 트렌드를 따라잡기 위해 노력해야 한다고 생각합니다.

요즘 새로 나오는 빵을 보면 모양도 제각각이며 맛도 독특합니다. 이런 트렌드를 따라잡기에는 저처럼 나이가 든 사람보다는 젊은 제빵사가 조금 더 유리하죠. 아무리 바빠도 매달 한 번씩은 서초동에 있는 후배의 업장에 가서 빵을 배우고 있는 이유입니다.

나는 어제보다 나은 오늘을 살고 싶다

내가 지루박을
배우려고 하는 이유

특히 나이가 들어갈수록 취미생활이 있어야 된다고 생각합니다. 주변에 있는 사람들의 이야기를 들어보면 나이가 들어서 계절과 상관없이 할 수 있는 운동이라면 지루박이라고 말하더군요. 노인들에게도 음악에 맞춰서 몸을 움직일 수 있는 유산소 운동으로서는 최고라고 극찬을 합니다. 다만 배우기가 너무 어렵다는데 그래서 도전을 해보는 것입니다.

이런 것들은 건강한 삶을 살기위한 것이고 남이 해보지 못한 것들을 도전해보면서 살아가는 것도 인생에 있어서 괜찮다고 봅니다.

생각한 것은 곧바로 실행에 옮긴다

제 스스로 생각하는 제 장점은 생각한 것을 곧바로 실행에 옮긴다는 것입니다. 도전할 거리가 생기면 먼저 행동을 한 다음 결과를 나중에 대응하는 것이 제 방식입니다. 주변에서는 제가 새로운 것에 도전할 때마다 "그건 이런 이유 때문에 안 돼"라고 말하지만, 저는 안 되는 이유를 찾으면 한도 끝도 없다고 생각해요.

안 되는 이유를 뒤집어 보면 되는 이유가 되지 않을까요. 인생을 살아오면서 느낀 것은 되는 이유를 찾는다면 반드시 그 이유를 발견하게 됩니다. 무언가를 도전하는 데 나이는 걸림돌이 되지 않습니다. 무언가 투자할 거리가 생기면 그 대상을 공부하고 우선 도전해보고 실패를 통해 배우는 거죠. 저는 재테크를 할 때도 누군가에게 따로 배우지 않았습니다. 제 스스로 공부하고 실패를 반복하면서 투자를 해왔어요.

　제가 컴퓨터도 잘 못하고 동기들보다 IT 기기를 잘 못다룸에도 불구하고 대학에서 교수님들께 칭찬을 받은 이유가 그것입니다. 행동력 하나만큼은 다른 누구와 견주어도 뒤떨어지지 않을 자신이 있거든요.

풍요로운 삶을 사는 비결

삶의 유연함을 취하면서 살기

제가 그동안 사업을 하고 공부를 해오면서 사람을 참 많이 사귀었습니다. 연령별로, 분야별로 다양한 분들과 교류를 하다보니 삶에서 정말 큰 도움이 된다는 걸 알았습니다.

주변에서는 간혹 저에게 "어떻게 하면 사람들을 잘 사귈 수 있느냐"고 물어요. 그러면 저는 비결을 한 마디로 딱 정의내립니다.

"먼저 밥이나 커피를 사면 됩니다."

밥을 사는 게 부담스러우면 커피 한 잔씩 먼저 사보세요. 그럼 상대의 마음을 얻기가 한결 수월합니다. 이때 중요한 것이 상대방에게 내가 선심을 쓴다는 이미지를 주지 않는 것입니다. 저는 처음에 대학에 들어갔을 때 동기들에게 이 방식을 썼어요. 동기들 입장에서는 나이 많은 늦깎이인 제가 얼마나 불편하겠습니까. 그래서 처음부터 동기들 마음을 얻어야겠다는 생각에 첫 수업이 끝나고 반 친구들에게 커피를 돌렸죠.

한 번 제가 그렇게 분위기를 풀어놓고 나니 이후에는 아이들이 호응도 좋고, 또 제가 열심히 공부하는 모습을 보면서 덩달아 공부하는 분위기가 만들어졌습니다. 옛말에 나이가 든 사람은 입은 닫고 지갑을 열라는 말이 있는데 그 말이 딱 맞아요. 만약 제가 꼰대처럼 잔소리를 하고 몇 살 더 많다는 생각 때문에 아이들에게 군림하려고 했다면 아마 적응하지 못했을 거예요.

공부를 통해 배운 것

어쩌면 삶이라는 것 자체가 유연함을 갖춰나가는 과정이 아닐까요. 제가 베이커리 사업만 했더라면, 재테크 등 꾸준한 자기계발 공부를 하지 않았다면 원룸을 지어서 팔겠다는 생각도 하지 못했을 것입니다. 이 또한 공부를 통해 얻은 저만의 유연함입니다.

제가 이런 유연함을 조금만 더 일찍 깨우쳤더라면 제 자녀들에게 조금 더 시간을 투자하고 더 많은 교류를 했을 것 같아요. 내 자신이 이런 공부를 하면서 성장하는 동안 아이들은 저도 모르는 사이에 부쩍 커버렸더군요. 모름지기 인생은 두 마리 토끼를 잡기는 어려운 모양입니다.

그래도 삶은 늘 옳습니다. 잘 살았던 못 살았던 나로서 존재했던 그 시간이 지금의 저를 만들었어요. 저는 늘 그랬던 것 같습니다. 이 길이 옳다고 생각하면 뒤돌아보지 않고 그 길을 걸어왔고, 그 결과에 대해 늘 책임을 지면서 잘 왔다고 생각합니다.

무에서 유를 창조하는 삶에 관하여

제 스스로에 대해 자신이 있는 이유가 있습니다. 저는 늘 무에서 유를 창조하기 위해 노력해왔기 때문이죠. 서울에 무일푼으로 상경했고 가족이나 형제 없이 지금까지 스스로를 깎는 노력을 해왔으니까요. 45여 년 간 제빵을 배우면서 단순히 빵 만드는 기술만 배운 건 아닙니다.

빵 만드는 기술을 배우기 위해 일본 유학을 준비하면서 일본어 공부를 독학으로 배웠어요. 누군가 저에게 일본어를 가르쳐준 것이 아닙니다. 오직 제 스스로 필요에 의해 일본어 공부를 한 것이죠. 그리고 일본어가 조금씩 트이니까 이번에는 영어를 하고 싶다는 생각이 들더군요. 유달리 어학에 대한 목마름이 있었어요.

76년도 당시에는 칵테일을 배우기 위해 학원에 등록할 정도로 열성이 있는 사람이었습니다. 그때는 왜 그랬는지 모르겠는데 바텐더가 되고 싶어서 단기간에 칵테일에 푹 빠져 지냈습니다.

얼핏 생각하면 '빵을 하는 사람이 무슨 칵테일을 배우나'라는 생각이 드실 수도 있을 겁니다. 하지만 저는 세상에 무의미한 배움은 없다고 봐요. 빵에서도 과일주를 활용해서 빵을 만들어야 할 때가 있습니다. 이때 배운 칵테일 기술 덕분에 이후에 새로운 빵 메뉴를 개발할 때 얼마나 유용하게 쓰였는지 모릅니다.

내 자부심은 곧 고객을 향한 다짐

다른 사람들은 어떻게 생각할지 모르겠습니다만, 저는 한 지역에서 32년이상 넘게 베이커리를 운영하고 있는 것에 자부심을 느낍니다. 그것도 경쟁이 치열하고 고객의 눈높이가 높은 강남에서 말이죠. 그런데 제가 32년 이상을 꾸준하게 영업할 수 있었던 것은 제가 현실에 안주하지 않고 끊임없이 발전하고 노력하려고 했기 때문일 겁니다.

대부분 베이커리를 10년 이상 하면 연구개발에 대한 의욕이 사라집니다. 그동안 해왔던 대로 앞으로도 그럭저럭 해나갈 거라고, 현실에 안주하기 쉽죠. 하지만 저는 단 한 순간도 현실에 안주하지 않았고 제 스스로에 대해서도 만족하지 않았습니다. 돌이켜보면 저는 늘 높은 이상을 추구하면서 살았던 것 같아요.

사람들은 성공을 단순히 돈을 많이 벌었다는 결과로만 보는 경향이 있습니다. 하지만 제 기준에서 성공은 단지 돈을 뜻하는 건 아닙니다. 돈을 많이 벌었다는 것은 내가 고객에게 얼마나 많은 가치를 주었느냐에 대한 결과일 뿐입니다. 결국 돈을 많이 번 사람은 그렇게 번 돈을 고객을 위해 재투자하게 되어 있습니다.

나는 어제보다 나은 오늘을 살고 싶다

나 자신에게 끊임없이
투자하는 이유

성공의 진정한 정의에 관하여

만약 제가 이룬 성취를 성공이라고 한다면 저는 자신 있게 말할 수 있습니다. 세상에서 가장 값진 투자는 바로 자기 자신에게 투자하는 것이라고 말이죠. 1억이 있다면 그 돈으로 부동산 투자를 하거나 주식 투자를 하는 사람도 있겠지만, 투자 대비 수익률이 가장 높은 것은 자기 스스로에 대한 투자입니다.

저는 다행히도 어릴 때부터 이 점을 잘 알았던 것 같아요. 그래서 일본어와 영어를 독학으로 배우고 음반을 만들고 책을 쓰는 이 모든 행위들이 결국 나 스스로의 발전을 위한 노력들이었다고 생각합니다. 이 책 출간도 결국 프랑세즈 과자점을 방문하는 고객들이 보고 저를 알아봐주시는 수단이 되리라고 생각합니다.

욕심같아서는 100년 가는 빵집을 만들고 싶다

일본 도쿄에 가면 앙꼬빵으로 유명한 베이커리가 있습니다. 제가 일본에서 놀랐던 건 100년이 넘은 빵집이 굉장히 많다는 거예요. 우리나라에 100년이 넘은 빵집이 있을까요. 대전 성심당이 그나마 60년이 조금 넘은 것으로 알고 있습니다. 저희 베이커리는 32년이 되었는데 앞으로 100년 가는 빵집으로 만드는 것이 저의 목표입니다.

그런데 목표 달성에는 그만한 노력이 필요합니다. 단순히 문을 닫지 않고 100년간 영업을 했다는 것이 아니라 새로운 제품을 개발하고 고객 서비스의 질을 업그레이드해서 끊임없이 고객의 수요에 발맞춰서 움직인다는 뜻이에요. 제가 일본에서 배운 것들, 몸으로 익힌 것들은 아직 메뉴 개발과 매장 운영에 미처 다 적용하지 못한 것들이 더 많습니다. 앞으로 이것들을 전부 실현하기 위해서는 20년, 30년이 더 필요할지 모르겠어요. 그렇기 때문에 저는 프랑세즈 베이커리의 앞날을 긍정적으로 보고 있습니다. 우리나라에서도 100년 가는 가게를 충분히 만들어낼 수 있다는 자신감이 있습니다.

무한한 약속

세상에는 두 부류의 사람이 있습니다. 약속을 잘 지키는 사람, 약속을 잘 지키지 않는 사람. 저는 약속을 잘 지키는 사람이 성공할 확률이 거의 10배 이상 높다고 생각해요. 제가 프랑세즈 베이커리를 32년이상 넘게 운영해올 수 있었던 것도 어찌보면 고객과의 약속을 잘 지켰기 때문입니다.

베이커리는 매일 아침 빵이 나오는 시간이 정확해야 합니다. 만약 어느 날 고객이 빵을 사러 왔는데 빵 나오는 시간에 빵이 안 나왔다면, 그것은 업장으로서 기본적인 자세가 되지 않은 것입니다. 어떤 고객이 언제 오더라도 '이 시간에 빵집에 가면 그 빵이 나올 시간이겠군' 하고 와서 기대를 충족하고 돌아가는 매장이 되어야 합니다.

그러기 위해서는 매장을 굉장히 체계적으로 운영해야 합니다. 마치 공장이 돌아가듯이 직원들이 시간 관념이 철저해야 하죠. 제가 좋아하는 책 중에 <일초를 잡아라>라는 (삼원정공) 책이 있어요. 그 책을 보면 종업원들이 커피 마시는 시간, 담배 피는 시간 등을 초단위로 계산을 해서 인력을 운용해야 한다는 얘기가 나옵니다.

초 단위로 경영을 하는 것은 경영자에게 반드시 필

요한 일입니다. 저 역시 초단위까지는 아니더라도 이렇게 체계적으로 베이커리를 운영하고 있고, 그 덕분에 빵 나오는 시간에 한해서는 고객과의 약속을 져버린 적이 한 번도 없습니다.

레시피를 체계화하는 것

물론 저 역시 베이커리를 운영하며 숱하게 많은 실수를 했지요. 특히 적정량의 재료를 맞추지 못해서 빵이 잘못나오는 경우가 많았습니다. 그때 제가 느낀 것이 레시피를 체계화를 해야 한다는 거였어요. 유럽 프랑스의 베이커리에 가보면 늘 맛이 한결같다고 합니다. 빵이 어느 때에는 맛있고, 어느 때에는 맛이 떨어지는 것이 아니라 늘 한결같은 맛을 유지하는 것이 중요하죠. 직접 빵을 만들고 베이커리를 운영하고 보니 이것이 얼마나 어려운 일인지를 저 역시 잘 알고 있습니다.

더욱이 빵은 나 혼자 만드는 게 아니거든요. 여러 명이 함께 만들기에 개량하는 사람과 성형하는 사람, 오븐에 굽는 사람이 마치 한 사람처럼 일사분란하게 움직여야만 늘 같은 맛의 빵이 나오죠. 이중에서 한 사람이라도 집중력이 떨어지면 빵 맛이 떨어지게 되어요.

그래서 저는 숙련된 직원들의 복지나 처우 개선을 위해서 굉장히 많은 노력을 합니다. 애써 합을 맞춰온 직원들이 어느 날 그만두게 되면, 베이커리 시스템에도 차질이 생길 수밖에 없죠. 사람들은 베이커리가 잘되니 "빵맛이 좋은가보다"하고만 생각하지만 베이커리 운영도 하나의 기업과 같습니다.

빵을 잘 만드는 것은 기본이고 이 빵을 어떻게 팔아야 하고, 어떻게 마케팅을 해야 할지, 또 고객들에게 어떻게 서비스를 해야 하는지 등에 대해 심혈을 기울여야 해요. 제가 빵을 배울 때는 이런 지식을 가르쳐준 곳이 전무했습니다. 그래서 느낀 것이 나부터 공부해야 겠다고 생각했죠. 빵은 단순히 레시피 대로 만들면 고객이 알아서 사가는 것이 아니거든요.

예컨대 저는 빵 역시도 어떤 제품 설명서처럼 설명서가 필요하다고 생각하는 사람입니다. 고객이 빵의 속 재료라든가 만드는 과정을 알면 구매를 할 때 훨씬 도움이 될 수 있습니다. 그래서 어느 때인가 마음먹고 매장에 설명서나 서비스를 제대로 만들기 위해 노력을 했죠. 결과적으로 이것이 매장의 매출을 올리는 1등 공신이 되었죠.

서비스는 적당히, 대충해서는 효과가 나오지 않습니다. 한 번 할 때 제대로 해두지 않으면 결국 성과를 거둘 수가 없지요.

혼이 담긴 업장

뼈아픈 실패의 교훈

값비싼 대리경영을 시키고 베이커리를 계속 해야 할지 회의감이 들었던 시절에 저는 아내를 데리고 일본에 견학을 간 적이 있습니다. 일본의 베이커리가 어떻게 운영되는지, 당시의 프랑세즈 제과점 수준으로는 왜 이에 한참 못 미치는지를 아내에게 보여주고 싶었죠.

사람은 견문이 넓어져야 생각이 열립니다. 매일 보던 것만 보는 것에서 한 번쯤은 새로운 환경에 처해보는 것이 중요하죠. 일본에 다녀온 뒤로 아내는 매장 서비스에 신경을 썼고 결국 매출이 올라가는 계기를 만들게 되었죠.

빵집 경영을 오너세프가 해야 하는 이유

하지만 직원들에게 서비스의 질을 개선시키고, 빵맛을 좋게 할 수는 있지만 경영 만큼은 다른 사람에게 맡기지 못하겠더군요. 적어도 저는 빵을 만드는 사람은 제조공장에서 서비스를 담당하는 사람은 매장에서는 정복을 입고 명찰을 달고, 고객을 정성스럽게 접객해야 한다고 생각합니다. 단지 티셔츠에 청바지를 입고 나타나서 빵을 팔면 고객은 상대방이 베이커리 직원인지 아니면 손님인지 분간을 할 수가 없어요.

이건 어찌보면 경영자의 당연한 자질인데 대리경영을 맡기니 제 마음처럼 되지 않더군요. 대리경영을 맡긴 1년 간 프랑세즈 베이커리 매출이 조금씩 떨어진 것은 어찌보면 자연스러운 수순이었습니다. 사람은 망각의 동물이라 조금 잘 되고 어깨가 올라가면 3년 간은 노력을 하다가 그 이후부터는 다시 원래 자리로 돌아가게 됩니다. 아무리 작은 가게라도 꾸준히 혁신을 해야 하는 이유가 여기에 있어요.

사회에 봉사하는 삶

제가 사업을 하는 여러 이유 중 하나는 사회에 봉사하는 삶을 살기 위한 것입니다. 저는 벌어서 남을 준다는 생각, 공부해서 남준다는 생각으로 살아갑니다. 처가를 위해서 그렇게 하고 있고 주변 사람들에게 그렇게 내어주고 있습니다.

처남 아들들의 등록금을 준 적도 있고, 같은 업종에서 힘들어하는 후배를 위해 선뜻 돈을 빌려준 적도 있습니다. 빵을 배웠지만 기대만큼 잘 안 풀리는 사람들이 참 많습니다. 누가 봐도 그 친구는 자금만 있으면 빵집을 참 잘 할 텐데, 라는 생각이 드는 사람인데 도움을 받지 못하고 있으면 저는 아무런 대가 없이 돈을 빌려줍니다.

물론 그렇게 빌려주고 받지 못하는 돈이 대부분입니다. 사업은 내 마음처럼 되지 않는 것이죠. 살면서 돈을 떼이는 일이 없다면 다행이지만 저처럼 사람과 사람이 교류하는 업종에서는 그런 일도 생길 수 있다고 봐요. 그렇게 어떻게 보면 사기를 당했다고 해도 다음 번에 또 도움 줄 일이 생기면 기꺼이 그렇게 합니다.

그렇게 해서라도 상대방이 잘 되기를, 베이커리 업계에서 살아남기를 바라는 마음 때문입니다. 돌이켜보면 큰 돈을 빌려주고 거의 떼이다시피 한 적이 세 번쯤 있는 것 같습니다.

제가 대리경영을 맡겼던 사람도 그런 의미에서, 자리를 마련해준 것이었죠. 천안에 살던 A라는 사람인데 어느 날 빚더미에 올라서 오갈 데 없는 신세가 되었어요. 저는 A를 천안에서 서울로 불러 올려서 우리집에 거처를 마련해주고, 프랑세즈 베이커리 운영 전권을 맡겼죠. 저는 물고기를 주는 것보다 물고기를 잡는 법을 알려주는 것이 그를 위한 길이라고 생각했습니다. 그리고 저는 일선에서 물러나서 조용하게 1년 간 지내자는 것이 제 계획이었어요. 물론 이후에도 그가 가게를 잘 운영하지 못해서 물러나긴 했지만, A에게 도움을 준 자체는 후회하지 않습니다.

내가 후배들에게 통크게 빌려주는 이유

나하고 같은 직장에서 근무 한적 있는 이 아무개 에게 체인사업을 할 무렵인데 돈이 없어 경영에 힘들어 할 때였습니다. 조건 없이 담보 하나 없이 거액을 빌려준 적도 있어요. 제가 그를 도와준 이유는 딱 하나였습니다. 내 부하직원이었기 때문에 잘되야 한다는 생각에서였죠. 하지만 결국에는 도산하고 말아서 안타까운 일도 있다.

제약회사에 다니던 딜러 후배 B도 생각납니다. 저는 젊은 사람이 돈이 없어서 쩔쩔 매는 모습을 보면 참 가슴이 아픕니다. 그 친구 역시 큰 돈을 내어주면서 잘 살아보라는 의미로 사업을 하라고 했는데 안타깝게도 실패를 해버렸습니다. 다행히 B는 지금도 조금씩 저에게 빚을 갚고는 있습니다만, 그들이 실패하지 않고 자리를 잡길 바라는 마음이 컸던 것 같아요.

당신은 그래도 베이커리를 하고 싶은가요?
저는 빵을 배우러 오는 사람에게 늘 이렇게 묻습니다.

"제과점은 3D 업종입니다. 이른 새벽에 일어나서 하루에 10시간 가까이 일해야 해요. 그렇게 할 준비가 되어 있나요?"

나는 어제보다 나은 오늘을 살고 싶다

이 질문에 고개를 젓는 사람이라면 절대로 창업을 해서는 안 됩니다. 요즘은 시절이 좋아 주5일 근무제가 적용되고 베이커리 업계에서도 노동시간이 준수되고 있지만, 베이커리는 업종 특성상 새벽부터 일을 해야 하는 특징이 있어요. 장사가 잘 되는 날은 밤 늦게까지 접객을 해야 하고, 반대로 장사가 안 되는 날은 쉬는 등 탄력적으로 근무해야 하죠. 하지만 기본적으로는 손님을 기다리며 상주하는 일입니다. 적어도 빵을 업으로 삼는다면 이를 받아들여야 하고 이러한 직업윤리를 가져야 하죠.

이따금 학교에서 강의를 하면 학생들에게 하는 말이 있습니다.

"요리는 고난의 길입니다. 겉모습만 보고 환상에 젖어서 시작하지 말고 내 직업으로서 평생을 전력투구할 수 있는지를 잘 생각해보고 선택하셔야 합니다."

돌이켜보면 저는 빵과 관련된 세월을 보낸 50년 세월이 아무렇지 않게 느껴집니다. 이 정도 했으면 됐다, 가 아니라 앞으로 이만큼을 더 해야 한다, 는 생각이 더 커요. 일본 제과인들은 레시피를 머릿속에 200개 정도 외운다고 합니다. 그런데 저는 단 10개도 외우지 못합니다. 빵을 45년 넘게 했는데도 말이죠.

우리는 아이들에게 직업을 물려줄 때 내 아이가 편한 길 가라는 마음으로 물려줍니다. 하지만 일본은 그렇지 않아요. 과업을 물려받는 걸 일종의 소명의식으로 여기죠. 그래서 요컨대 직업이라는 것은 내가 정말로 관심이 있는 일을 해야 합니다. 만약 내가 어떤 일을 하는데 마음이 없다라는 건 목표가 없다는 뜻이고, 일에서 목표가 없다면 어떤 것도 성취할 수 없음은 자명한 사실이니까요.

제 인생의 신조를 말하라면 오직 성실과 근면, 그리

고 포기하지 않는 끈기입니다. 그리고 말에 대해 책임을 지는 사람이 되려고 노력합니다. 방금 언급한 이 정도의 가치만 품고 있어도 저는 어떤 일을 하더라도 성공할 수 있다고 자부합니다. 빵 장사를 하면 어려운 순간들이 정말 많습니다.

장사가 잘 되면 건물주한테 쫓기기도 하고 때로는 장사가 안 되어서 월세를 밀리기도 합니다. 나만 겪는 일도 아니고, 제빵 일을 하는 모든 분들이 같은 어려움을 겪습니다. 게다가 요즘처럼 프랜차이즈 빵집들이 득세하는 시대에는 더더욱 동네 빵집이 어렵습니다. 동네 빵집에서 사람을 고용하면, 며칠 지나지 않아 경쟁사 프랜차이즈 점포로 옮겨가요. 빵집을 운영한다는 것은 큰 돈을 버는 일도 아니죠.

그런 시대에서 경영을 한다는 것, 그리고 베이커리 사업으로 살아남으려면 어떤 자질이 필요할까요? 저는 그 키워드로 '집빵'이라는 단어를 떠올려봤습니다. 우리가 집에서 엄마가 만들어주는 밥을 '집밥'이라고 합니다. 사람들은 누구나 집밥을 그리워하죠. 그런데 빵의 경우는 어떤가요. 공장에서 찍어나오는 빵이 아니라 갓 구운 따뜻한, 집밥 같은 빵을 먹지 못하는 것이 요즘 현실입니다.

이 부분이 바로 대기업 프랜차이즈 베이커리와 경쟁해서 이길 수 있는 포인트이기도 해요. 저는 자영업 형태로 운영되는 동네 빵집들이 앞으로 살아남으려면 반드시 '집빵'을 만드는 맛집으로 소문나야 한다고 생각합니다. 이렇게 하려면 가게 규모를 줄이더라도 가족 경영 체계로 가야 하고 숙련된 직원들이 손발을 맞추어 한 몸처럼 움직여주어야 늘 한결같은 맛을 낼 수 있습니다. 어떤 사람은 가족 경영을 부정적으로 보기도 하는데 저는 베이커리야말로 가족 경영에 적합한 업종이라고 생각합니다. 베이커리를 해서 건물을 세울 생각을 하기보다는, 소규모로 내실 있게 운영하면서 고객 서비스나 마케팅의 품질을 높이는 방향으로 진화를 하는 것이 중요합니다.

특허 및 수상 이력

멋보다는 맛으로 승부하는 서초동 프랑세즈 과자점 전면

멋보다는 맛으로 승부하는
서초동 프랑세즈 제과점

◇어려울수록 서로 나누는 가운데 새 희망이 있음을 보여주는 부부의 모습이 정겹다.

강남구 서초동에 위치한 프랑세즈는 인심 좋기로 소문난 부부가 경영하는 제과점이다.

하루 3번 빵을 굽는 동안 시식코너는 방금 나온 빵으로 고객의 입맛을 즐겁게 해 준다. 약 30평 가량의 매장에 여러 종류의 고급스런 빵을 선 보여 고객의 다양한 입맛을 충족시켜 준다.

멋보다는 맛으로 승부한다는 권문한(43)사장과 그의 아내 박유순(38)씨는 항상 고객과의 대화 속에 고객들이 좋아하는 맛을 찾아 제품개발에 주력하며 고객들의 정보를 제품화시키는데 최선을 다한다.

권사장은 25년의 경력을 가지고 있음에도 일본에 정기적으로 방문하여 새로

랑세즈를 처음 오픈하던 해는 정말 잠을 자는 시간이 아까울 정도로 공장에서 보내는 시간이 많았다.

고객에게 빨리 새 제품을 시식해 주고 싶은 마음이 간절해서 새벽 2시에 공장에서 반죽하던 그때를 회상하며 얼굴에 웃음을 띄운다.

이들 부부는 프랑세즈 인근 고객들을 상대로 꾸준히 설문조사를 해서 고객이 가지고 있는 빵의 의식구조를 알아보는 등 고객에 대한 연구를 게을리 하지 않는다.

어려움을 나누며 행복을 찾는 부부
고객에 대한 연구를 최우선으로

프랑세즈에서 5년간 공장장으로 근무하다가 최근 일산에 프랑세즈 분점을 내어 사장이 된 후배를 격려하며 자신이 사장이 되었던 때보다 더욱 흐뭇해하는 권사장 부부.

"나보다 못 먹는 사람을 위해, 나보다 못 사는 사람을 위해 욕심 덜 부리고 서로 나눌 수 있는 사회가 되기를 희망합니다. 어려울수록 서로 나누며 살아야죠."

이들 부부는 하루하루가 해야 할 일로 가득하지만 고객과 보내는 시간이 제일 소중하다며 고객을 맞이하는라 분주하

(박태정 기자)

언론에 보도된 프랑세즈제과점의 기사

"맛있는 빵 만들자" 외국 연수까지

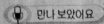
만나 보았어요

권문환(프랑세즈 과자점 대표)

매주 한두 가지씩 신제품 개발
어려운 이웃 찾아 선물하기도

권문환(서울 서초구 프랑세즈 과자점 대표·43세) 씨는 맛있는 빵과 과자를 만드는 제과 제빵사. 고등학교를 졸업하고 제과·제빵 기술을 배우기 시작, 1986년 제과 기능사·제빵 기능사 자격증을 딴 그는 1992년부터 제과점을 운영하고 있다.

권문환 씨의 하루 일과는 오전 6시부터 오후 8시까지. 고객들이 갓 구운 따끈하고 신선한 빵을 즐길 수 있도록 하루 3차례 갖가지 빵과 과자를 구워낸다. 그가 생산하는 제품은 모두 150여 가지. 까다로운 고객들의 입맛을 사로잡기 위해 끊임없이 제품을 시식하고 고객들의 의견을 반영해 맛을 개선하는 일에도 열심이다.

매주 1~2가지씩 새로운 제품을 개발해 내기 위한 노력도 게을리하지 않는다. 틈나는 대로 전문 서적을 읽고 연구하고, 해마다 일본으로 연수를 떠나 선진 기술을 배워 오기도 한다.

"고객들이 제가 만든 빵·과자가 맛있다고 많이 찾아올 때 보람을 느낍니다. 이른 아침부터 늦은 밤까지 서서 일해야 하는 힘든 직업이지만, 밀가루·설탕·달걀을 섞어 새로운 맛을 창조하는 재미로 피로를 잊습니다."

'싸고 맛좋은 빵'을 만들기 위해 하루 종일 '빵 생각'만 한다는 권문환 씨. 매주 수요일마다 장애인 학교와 정신대 할머니 등 주변의 소외된 이웃들을 찾아가 빵을 선물하고 있는 그는 '제과 기능장' 자격증에 도전할 계획을 세우고 있다.

/박정욱 기자 jopark@chosun.com

◇자신이 직접 만든 케이크를 자랑해 보이는 권문환 씨.

언론에 보도된 프랑세즈제과점의 기사

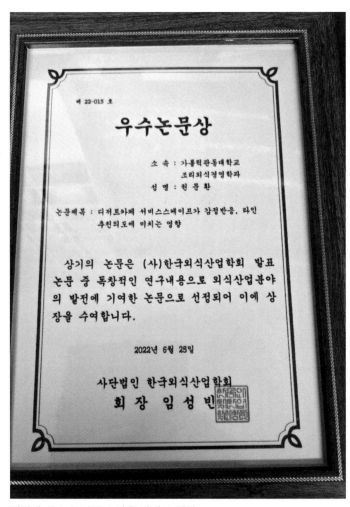

제 22-015 호

우수논문상

소 속 : 가톨릭관동대학교
        조리외식경영학과

성 명 : 원문환

논문제목 : 디저트카페 서비스스케이프가 감정반응, 타인
          추천의도에 미치는 영향

상기의 논문은 (사)한국외식산업학회 발표
논문 중 독창적인 연구내용으로 외식산업분야
의 발전에 기여한 논문으로 선정되어 이에 상
장을 수여합니다.

2022년 6월 25일

사단법인 한국외식산업학회
회 장 임 성 빈

필자가 쓴 논문이 우수상을 받기도 했다.

필자가 취득한 명인 인증서

전문가와 함께 하는
쿠키 50선

권문환 김영수 공저

필자가 낸 책〈쿠키 50선〉

Seoul Master Baker

서울시 제과제빵 명인회

기능장 회원증을 취득했다.

제 23-01-156 호   2023한국음식관광박람회

한국국제요리제과경연대회
Korea International Culinary Competition

한국음식전시경연 퓨전한식부문
K-Food SP외식팀 천문환

위 사람은 2023 KFTE
한국국제요리제과경연대회에서 우수한
성적을 거두었으므로 이 증서를 수여합니다.

This certificate of excellence is
presented to the above person a good
record achieved in the KFTE Korea
International Culinary Competition 2023.

2023년 5월 26일

사단법인 **한국음식관광협회**
The Korea Food Tourism Association
회장 강민수
President Min-Su Kang

필자가 취득한 한국국제제과요리대회 상장

필자가 취득한 기능장 정회원 회원증

필자가 취득한 특허

제빵왕 김탁구(탤런트 안동선)과 함께

필자가 제작한 음반 CD

필자가 취득한 박사학위 취득패